EL SEXENIO SE ME HACE CHIQUITO

EL FISGÓN, HERNÁNDEZ
Y HELGUERA

EL SEXENIO SE ME HACE CHIQUITO

Grijalbo

EL SEXENIO SE ME HACE CHIQUITO

Primera reimpresión: noviembre de 2003

© 2003, Rafael Barajas Durán (El Fisgón)
© 2003, José Hernández
© 2003, Antonio Helguera

D. R. © 2003, EDITORIAL GRIJALBO, S. A. de C. V.
  Av. Homero 544,
  Col. Chapultepec Morales, C. P. 11570
  Miguel Hidalgo, México, D. F.

www.randomhousemondadori.com.mx

ISBN 970-05-1622-9

IMPRESO EN MÉXICO

A los maestros
Rius, Naranjo y Helioflores,
fundadores de La Garrapata
y pioneros en la lucha moderna
por la libertad de expresión.

CAPÍTULO 1. INTRODUCCIÓN

EN LA CALLE SAN JUAN DIEGO DE LA COLONIA VAMOS MÉXICO VIVE LA BEBA TOLOACHE, BRUJA Y DOCTORA EN CIENCIAS OCULTAS, SOCIALES Y ECONÓMICAS. A ELLA ACUDEN LOS DESESPERADOS, LOS QUE SUFREN DOLENCIAS RARAS.

¡Cómo adivinó! Usted si que es una bruja bien efectiva.

No me diga que usted es de los amigos de Fox.

Claro. Fox logró cambiar a este país. Él trajo la democracia a México. Gracias a él hay tanta libertad que hasta podemos calumniarlo...

Siempre y cuando lo hagamos dentro de la ley.

Óigame, no. La democracia y la libertad de opinión en México no son obra de una sola persona y menos que menos de Vicente Fox.

La democratización del país se gestó en movimientos sociales que organizaron poco a poco a la sociedad, generando una cultura democrática en sectores cada vez más amplios de la población.

CAPÍTULO 2. LA LARGA LUCHA POR LA DEMOCRACIA MEXICANA

LA LUCHA POR LA DEMOCRACIA ES PARTE DE UNA LUCHA POPULAR CONTRA UNA CULTURA POLÍTICA AUTORITARIA QUE ESTÁ MUY ARRAIGADA EN MÉXICO.

AUTORITARISMO, IMPOSICIÓN Y FALTA DE DEMOCRACIA SON UN RASGO CENTRAL DE LA CULTURA POLÍTICA DE MÉXICO.

¿Y por qué?

¡Porque lo digo yo y te chingas!

LOS AZTECAS MANTUVIERON SU IMPERIO A BASE DE TERROR.

¿Y quién podrá defendernos de los aztecas?

No desesperes que ahí vienen los españoles.

DURANTE LA COLONIA, HABÍA QUE CALLAR Y OBEDECER AL REY, AL VIRREY, A LA IGLESIA, AL CURA, AL HACENDADO... Y QUIEN CENSURABA ERA LA SANTA INQUISICIÓN.

¿Y ahora quién nos salva de la Colonia?

Pos vamos a hacer una Guerra de Independencia.

EN LOS PRIMEROS AÑOS DEL MÉXICO INDEPENDIENTE, EL PAÍS FUE GOBERNADO POR CAUDILLOS, ALGUNOS MUY CONSERVADORES, IGNORANTES Y REPRESIVOS.

¿Y ahora quién nos salva de los conservadores?

No te apures que ya vienen los liberales.

BENITO JUÁREZ, EL GRAN LIBERAL Y FUNDADOR DEL ESTADO MEXICANO, ERA BASTANTE AUTORITARIO.

PORFIRIO DÍAZ TOMÓ EL PODER EN 1876, SE REELIGIÓ MUCHAS VECES Y ACABÓ SENTANDO LAS BASES DE UN ESTADO MUY AUTORITARIO.

SE PUSO EN PRÁCTICA UNA POLÍTICA ECONÓMICA ANTIPOPULAR Y SE SOMETIÓ LA ECONOMÍA A INTERESES EXTRANJEROS.

SE REPRIMIÓ A LOS PERIODISTAS Y SE CONTROLÓ A LA PRENSA.

SE PRACTICÓ EL FRAUDE ELECTORAL.

CREDENCIAL

ERA LA DICTADURA PERFECTA, Y ESTABA HECHA PARA DURAR ETERNAMENTE...

¿Y ahora cómo nos libramos de don Perpetuo?

Contra esta dictadura, se hizo la Revolución Mexicana.

TRAS LA REVOLUCIÓN, EL PAÍS ESTABA INGOBERNABLE; PARA APACIGUARLO, EL GENERAL CALLES ORGANIZÓ UN GRAN PARTIDO NACIONAL QUE REUNIÓ A LAS PRINCIPALES FUERZAS REGIONALES Y REPITIÓ LOS VICIOS DEL PORFIRIATO:

AUTORITARISMO PRESIDENCIALISTA, SUMISIÓN DEL CONGRESO AL EJECUTIVO, FRAUDE ELECTORAL....

ERA LA DICTADURA PERFECTA, Y ESTABA HECHA PARA DURAR ETERNAMENTE...

EN LOS TREINTA, EL PRESIDENTE CÁRDENAS REORGANIZÓ EL PARTIDAZO EN TRES SECTORES: OBRERO, CAMPESINO Y POPULAR.

EN ESTE PACTO SOCIAL, EL MOVIMIENTO OBRERO FUE EL SECTOR MÁS DINÁMICO Y LOS SINDICATOS ADQUIRIERON GRAN FUERZA POLÍTICA.

TOMARON MUCHA FUERZA LOS LÍDERES SINDICALES LIGADOS AL GOBIERNO, QUE SOMETIERON A LOS OBREROS A LOS INTERESES DEL GOBIERNO... Y DE LOS PATRONES.

ESTOS LÍDERES SE ASOCIARON CON EL PARTIDO Y OBTUVIERON GANANCIAS POLÍTICAS A CAMBIO DEL CONTROL DE LOS SINDICATOS.

ASÍ, DURANTE AÑOS, LOS LÍDERES OFICIALES AYUDARON AL GOBIERNO Y A LOS PATRONES A MANTENER UNA POLÍTICA DE BAJOS SALARIOS Y POCAS CONQUISTAS SINDICALES.

CON LA AYUDA DEL GOBIERNO, LOS LÍDERES CHARROS GANARON LA DIRECCIÓN DE LOS GRANDES SINDICATOS Y CONFORMARON UNA BUROCRACIA OBRERA OFICIALISTA Y MUY CORRUPTA A TRAVÉS DE LA CUAL EL GOBIERNO CONTROLÓ LOS SINDICATOS MÁS IMPORTANTES.

Con decirles que luego éramos más corruptos vivos que muertos.

POCO A POCO LOS TRABAJADORES SE ORGANIZARON CONTRA EL CHARRISMO SINDICAL Y SURGIERON MOVIMIENTOS SINDICALISTAS DISIDENTES: EL FERROCARRILERO, EL DE MAESTROS, EL DE LOS MÉDICOS, EL DE LOS ELECTRICISTAS, LA CORRIENTE DEMOCRÁTICA DEL SUTERM, LOS SINDICATOS UNIVERSITARIOS, TODOS REPRIMIDOS DE MANERA VIOLENTA POR EL GOBIERNO.

Campaña de difamación contra el movimiento y sus líderes.

Represión (hay varios muertos)

Y el encarcelamiento de los líderes disidentes.

POCO A POCO, EL PRESIDENCIALISMO PRIÍSTA SE SEPARÓ DE LA SOCIEDAD Y DESARROLLÓ UN CÓDIGO INTERNO, RITOS, FORMAS ESPECÍFICAS DE EJERCER LA AUTORIDAD Y UNA ENORME CORRUPCIÓN.

EL PODER QUE LLEGARON A TENER LOS PRESIDENTES DE LA REPÚBLICA DURANTE LOS REGÍMENES PRIÍSTAS FUE CASI ABSOLUTO.

¿Qué horas son?

Las que ud. diga, señor presidente.

EL PRESIDENTE DABA CHAMBAS Y DESIGNABA DIPUTADOS, FUNCIONARIOS, GOBERNADORES Y HASTA A SU SUCESOR...

De ahí viene la figura del tapado.

CON LA IMPUNIDAD, LA CORRUPCIÓN SE VOLVIÓ PRÁCTICA COMÚN. EL FUNCIONARIO MENOR QUE SE CORROMPÍA LE DABA UNA LANA A SU SUPERIOR, ASÍ SE FORMARON ESTRUCTURAS DE CORRUPCIÓN.

PARA GANAR LAS ELECCIONES Y PERPETUAR LA IMPUNIDAD DEL SISTEMA, EL PRI GASTÓ LOS RECURSOS DE LA NACIÓN: COMPRÓ VOTOS, DERROCHÓ EN PUBLICIDAD, HIZO FAVORES... ERA LO QUE SE LLAMA LA ALQUIMIA ELECTORAL.

Transformamos el descontento en votos por el PRI, y nuestro ideal es convertir a 100 millones de mexicanos en corruptos.

CONTRA LA CORRUPCIÓN, EL FRAUDE, EL AUTORITARISMO Y LA FALTA DE DEMOCRACIA DEL RÉGIMEN PRIÍSTA, SE REBELARON DIFERENTES SECTORES DE LA SOCIEDAD A PARTIR DE LOS AÑOS SESENTA. EN SAN LUIS, EL DR. NAVA ENCABEZÓ UN MOVIMIENTO CIUDADANO POR LA DEMOCRACIA.

EN 1968, LOS ESTUDIANTES UNIVERSITARIOS ORGANIZARON UN GRAN MOVIMIENTO CONTRA VARIOS ACTOS REPRESIVOS DEL RÉGIMEN E INCLUSO HICIERON UNA HUELGA EN LA UNAM. EL MOVIMIENTO CRECIÓ Y FUE APOYADO MASIVAMENTE, PUES EXPRESABA EL DESCONTENTO Y LAS ASPIRACIONES DEMOCRÁTICAS DE LA SOCIEDAD.

LOS ESTUDIANTES PEDÍAN DIÁLOGO PÚBLICO Y EL GOBIERNO RESPONDIÓ CON MÁS
REPRESIÓN. LA MASACRE DEL 2 DE OCTUBRE DE 1968, DONDE EL EJÉRCITO DISPARÓ
SOBRE UNA MULTITUD INDEFENSA, HIZO EVIDENTE LA RUPTURA DE LOS GOBIERNOS
PRIÍSTAS CON LA SOCIEDAD.

EL MOVIMIENTO ESTUDIANTIL FUE UN PARTEAGUAS EN LA HISTORIA MODERNA DE
MÉXICO: SACUDIÓ EL RÉGIMEN Y LOGRÓ IMPULSAR NUEVAS FORMAS DE
ORGANIZACIÓN POPULAR OPOSITORA.

ANTE LA REPRESIÓN, LA CERRAZÓN OFICIAL Y LA FALTA DE SALIDAS DEMOCRÁTICAS, LA OPOSICIÓN SE RADICALIZÓ Y VARIOS SECTORES ESTUVIERON CONVENCIDOS DE QUE SÓLO MEDIANTE LA GUERRA DE GUERRILLAS SE PODÍA LOGRAR UN CAMBIO EN MÉXICO. LA LUCHA LEGAL Y DEMOCRÁTICA LA CANCELÓ EL PROPIO GOBIERNO.

PERO LA VÍA ARMADA FUE CONTRAPRODUCENTE. DESATÓ LA REPRESIÓN INDISCRIMINADA DEL RÉGIMEN QUE, VIOLANDO LA LEGALIDAD SE LANZÓ A UNA GUERRA SUCIA: CREÓ GRUPOS REPRESIVOS ANTICONSTITUCIONALES, ASESINÓ, TORTURÓ Y DESAPARECIÓ A LOS DETENIDOS.

LA REPRESIÓN NO SÓLO NO ACABÓ CON LA GUERRILLA, SINO QUE PROVOCÓ MÁS DESCONTENTO, VIOLENCIA, INESTABILIDAD E INGOBERNABILIDAD. DURANTE LA GUERRA SUCIA, SE HIZO EVIDENTE QUE EL PRIMERO EN VIOLAR EL ESTADO DE DERECHO ERA EL ESTADO MEXICANO.

SE INICIÓ UN MOVIMIENTO DE DERECHOS HUMANOS QUE EXIGIÓ LA PRESENTACIÓN DE LOS DESAPARECIDOS Y NO MÁS TORTURA.

EN LOS SETENTA, EL GOBIERNO ENTENDIÓ QUE ERA NECESARIA UNA APERTURA POLÍTICA SI QUERÍA PAZ EN EL PAÍS.

PARA ELLO, EL GOBIERNO LANZÓ UNA LEY DE AMNISTÍA Y REALIZÓ CAMBIOS CONSTITUCIONALES QUE HICIERON POSIBLE UNA REFORMA POLÍTICA EN 1977. EN PRINCIPIO, EL PRI NO TUVO POR QUÉ TEMER A ESTA REFORMA, PUES LA OPOSICIÓN ERA PRÁCTICAMENTE INEXISTENTE.

A LA DERECHA ESTABA EL PAN.

Y POR EL OTRO LADO, LA IZQUIERDA.

HASTA LA REFORMA POLÍTICA, TODAS LAS ORGANIZACIONES DE LA IZQUIERDA SOCIALISTA ERAN SEMICLANDESTINAS Y CARECÍAN DE EXPERIENCIA ELECTORAL.

Esto no avanza, compañero... Llevo semanas grillándome a la urna, y no pasa nada...

LO ÚNICO QUE TENÍA LA IZQUIERDA ERA MILITANCIA Y TRABAJO SOCIAL.

No se apuren. En cuanto me vuelva burócrata del PRD, me olvido de la militancia y el trabajo social.

ADEMÁS LA REFORMA POLÍTICA ESTUVO HECHA AL GUSTO Y A LA MEDIDA DEL PRI PARA QUE SIGUIERA GOBERNANDO POR MUCHO TIEMPO...

Creo que hasta es ilegal ganarle al PRI...

Ilegal, no; pero sí peligroso...

COMO TODO RÉGIMEN AUTORITARIO, EL PRI BUSCABA EL CONTROL TOTAL DE LA INFORMACIÓN. PARA ELLO TEJIÓ UNA RED DE INTERESES CON LOS DUEÑOS DE LOS MEDIOS Y DESARROLLÓ MECANISMOS PARA COMPRAR REPORTEROS.

EN LA PRÁCTICA, LOS MEDIOS MENTÍAN CON FRECUENCIA Y NO HABÍA ESPACIO PARA QUE SE EXPRESARA LA DISIDENCIA.

EL DIARIO EXCÉLSIOR, QUE DIRIGÍA JULIO SCHERER, SE ATREVIÓ A CRITICAR AL PRESIDENTE ECHEVERRÍA. EN RESPUESTA, EN 1976, EL GOBIERNO ORGANIZÓ UN MOVIMIENTO INTERNO PARA DESTITUIR A SCHERER.

A RAÍZ DEL GOLPE A EXCÉLSIOR, UN SECTOR DE INFORMADORES ROMPIÓ CON EL RÉGIMEN Y COMENZÓ A HACER PERIODISMO CRÍTICO E INDEPENDIENTE. APARECIERON PUBLICACIONES COMO PROCESO, UNOMÁSUNO, LA JORNADA, ETC.

ENTRE 1982 Y 1988, EL PRESIDENTE MIGUEL DE LA MADRID, SIGUIENDO LOS LINEAMIENTOS DEL BANCO MUNDIAL, EL FMI, WASHINGTON Y WALL STREET, APLICÓ UNA POLÍTICA ECONÓMICA NEOLIBERAL QUE BENEFICIÓ A UNOS CUANTOS Y FREGÓ A LAS MAYORÍAS. ESTE VIRAJE ECONÓMICO PROVOCÓ UNA RUPTURA EN EL PRI.

LOS POCOS ELEMENTOS DEMOCRÁTICOS QUE QUEDABA EN EL TRICOLOR TENÍAN CADA VEZ MÁS DIFERENCIAS CON SU PARTIDO.

¿Democráticos? ¿Y qué hace esa gente en el PRI?

EN 1988, SURGIÓ EN EL PRI LA CORRIENTE DEMOCRÁTICA, QUE SE OPONÍA AL NEOLIBERALISMO Y EXIGÍA DEMOCRACIA.

ESTA CORRIENTE SALIÓ DEL PRI Y SU CANDIDATO CUAUHTÉMOC CÁRDENAS SUMÓ FUERZAS DE OPOSICIÓN Y GANÓ LAS ELECCIONES PRESIDENCIALES, PERO EL PRI HIZO OTRO FRAUDE E IMPUSO A SALINAS COMO PRESIDENTE.

¿WHAT?

¡El pueblo votó y Carlos lo transó...!

DESPUÉS, EL PAN AVALARIÁ ESTA IMPOSICIÓN. LA OPOSICIÓN CARDENISTA SE ORGANIZÓ EN UN PARTIDO ELECTORAL DE IZQUIERDA: EL PRD.

¿Pero qué tiene que ver todo esto con Vicente Fox?

Precisamente; nada. Mientras la sociedad estaba luchando por la democracia, Vicente Fox estaba vendiendo Coca Colas...

Justamente, Fox entró a la política nacional en el marco del ascenso del neoliberalismo, cuando las multinacionales asumieron un papel político activo...

SALINAS IMPUSO UNA POLÍTICA ECONÓMICA NEOLIBERAL ORTODOXA: FIRMÓ UN TRATADO DE LIBRE COMERCIO CON EU Y CANADÁ, PRIVATIZÓ EMPRESAS DEL ESTADO Y LE QUITÓ RESTRICCIONES LEGALES A LA INVERSIÓN, PONIENDO A MÉXICO EN MANOS DE LOS GRANDES CAPITALES Y LAS MULTINACIONALES.

ESTA POLÍTICA ACABÓ CON EL PACTO SOCIAL SURGIDO DE LA REVOLUCIÓN, ATACANDO INCLUSO A LOS SINDICATOS Y DEMÁS SECTORES DE BASE DEL PRI, LO QUE DEBILITÓ A ESTE PARTIDO.

ADEMÁS, EL GOBIERNO REPRIMIÓ (CIENTOS DE PERREDISTAS FUERON ASESINADOS), CORROMPIÓ A QUIEN SE DEJÓ Y NEGOCIÓ CON EL PAN.

A NIVEL MUNDIAL, EL NEOLIBERALISMO SIGNIFICÓ EL CRECIMIENTO DE LA DERECHA. EN MÉXICO, LAS CONTRADICCIONES DEL PRI-GOBIERNO SE AGUDIZARON. ENTRARON A LA ESCENA POLÍTICA NUEVOS ACTORES CONSERVADORES, PERO QUEDÓ LA CORRUPCIÓN.

Salen caciques y charros.

Entra el clero.

Entran los empresarios neoliberales con sus megafraudes...

... y crece el narco.

ESTE NUEVO ESCENARIO POLÍTICO FUE IDEAL PARA UN EMPRESARIO PANISTA Y CATÓLICO QUE TRABAJABA PARA LAS TRASNACIONALES.

AL PRINCIPIO LOS PANISTAS PROTESTARON CONTRA SALINAS, PERO DESPUÉS ENCONTRARON QUE COMPARTÍAN EL MISMO PROYECTO ECONÓMICO.

UN ACTOR INESPERADO APARECIÓ EN ESCENA EL 1 DE ENERO DE 1994. EL EJÉRCITO ZAPATISTA DE LIBERACIÓN NACIONAL (EZLN) SE LEVANTÓ EN ARMAS EN CHIAPAS PONIENDO AL DESCUBIERTO QUE LA GRAN MAYORÍA DE LOS MEXICANOS ESTABA EXCLUIDA DE LOS BENEFICIOS DEL LIBRE MERCADO.

EL EZLN MOVILIZÓ A LA SOCIEDAD GRACIAS A QUE HA USADO, ANTES QUE LAS ARMAS, UN LENGUAJE Y MÉTODOS MODERNOS DE LUCHA. SE TRATA DE UN MOVIMIENTO INDÍGENA Y ANTIRRACISTA.

ADEMÁS EN LA SUCESIÓN PRESIDENCIAL DE 1994 FUE ASESINADO EL CANDIDATO DEL PRI, LUIS DONALDO COLOSIO. LA DESCOMPOSICIÓN DEL PRI FUE TAL QUE UNA DE LAS HIPÓTESIS MÁS SÓLIDAS ES QUE ESTE CRIMEN FUE PARTE DE LAS LUCHAS INTERNAS POR EL PODER.

ERNESTO ZEDILLO FUE NOMBRADO CANDIDATO SUSTITUTO, Y EN UNAS ELECCIONES EN LAS QUE SE GASTÓ UNA FORTUNA DESCOMUNAL, EL PRI GANÓ LA PRESIDENCIA.

ZEDILLO CONTINUÓ CON LA ORTODOXIA NEOLIBERAL: LA ECONOMÍA QUEDÓ TOTALMENTE SUPEDITADA AL FMI Y LA CORRUPCIÓN FINANCIERA ALCANZÓ NIVELES DE ESCÁNDALO, COMO EN EL CASO DEL FOBAPROA.

ESTA POLÍTICA NEOLIBERAL, MANEJADA ADEMÁS CON TORPEZA, TERMINÓ POR GOLPEAR LAS BASES SOCIALES DEL PRI Y ACABÓ POR DESACREDITARLO ANTE UN SECTOR IMPORTANTE DE VOTANTES. A FINES DEL SIGLO XX, LA MAYORÍA DE LOS MEXICANOS ESTABA HARTA DEL PRI, DE SU CORRUPCIÓN, DE SUS FRAUDES ELECTORALES, DE SU AUTORITARISMO Y DE SUS MENTIRAS.

RESERVADO PARA EL CANDIDATO A LA PRESIDENCIA PRD

Y ENTONCES INICIÓ EL PROCESO DE SUCESIÓN PRESIDENCIAL DEL 2000.

CAPÍTULO 3. HE LOVES YOU ¡YA!, ¡YA!, ¡YA! (EL 2000)

LAS ELECCIONES DEL 2000 ERAN UN GRAN RETO PARA EL SISTEMA POLÍTICO MEXICANO. COMO A TODO PRESIDENTE, A ZEDILLO LE PREOCUPABA PRIMORDIALMENTE GARANTIZAR LA CONTINUIDAD DEL RÉGIMEN Y LA DE SU PROYECTO EN PARTICULAR. PERO... ¿CUÁL ERA EL RÉGIMEN QUE ZEDILLO BUSCABA CONTINUAR?, ¿EL DEL PRI, O EL DEL MODELO NEOLIBERAL? SEGÚN ALGUNOS ANALISTAS, ZEDILLO TENÍA DOS CANDIDATOS: LABASTIDA Y FOX.

POR SU PARTE, EL PARTIDO DE LA REVOLUCIÓN DEMOCRÁTICA ENTRÓ EN UN PROCESO DE DESPRESTIGIO: SU CANDIDATO, CUAUHTÉMOC CÁRDENAS, QUE HABÍA GANADO LA JEFATURA DEL GOBIERNO DEL DISTRITO FEDERAL, SE PREOCUPÓ MÁS POR LA CANDIDATURA DEL 2000 QUE POR CUMPLIR SUS PROMESAS, Y ESTO DAÑÓ SU IMAGEN.

MUCHOS LÍDERES PERREDISTAS ABANDONARON EL TRABAJO DE BASE Y SE CONVIRTIERON EN BURÓCRATAS POLÍTICOS; SE PELEARON A MUERTE POR UNA CURUL.

EL COLMO: EN 1999 EL PRD REALIZÓ ELECCIONES INTERNAS Y EN ELLAS HUBO UN ESCANDALOSO FRAUDE ELECTORAL, LO QUE SUMIÓ A ESE PARTIDO EN UNA PROFUNDA CRISIS DE CREDIBILIDAD.

COMO LA CAMPAÑA DE CÁRDENAS NO LEVANTÓ NUNCA, UN SECTOR IMPORTANTE DEL ELECTORADO BUSCÓ EN OTROS CANDIDATOS LA POSIBILIDAD REAL DE SACAR AL PRI DEL PODER. Y EL CANDIDATO OPOSITOR MÁS FUERTE ERA FOX.

LA CAMPAÑA DE FOX FUE MUY EFICAZ EN TÉRMINOS DE IMAGEN PERO FUE PARTICULARMENTE "FOLCLÓRICA" Y SU DISCURSO ESTABA PLAGADO DE CONTRADICCIONES Y EXABRUPTOS.

COMO LOS CANDIDATOS DEL PRI Y DEL PAN NO TENÍAN PROYECTOS ECONÓMICOS DIFERENTES, SU CAMPAÑA SE CENTRÓ EN OTROS PUNTOS, TALES COMO SU APARIENCIA, SUS MAÑAS, ETC...

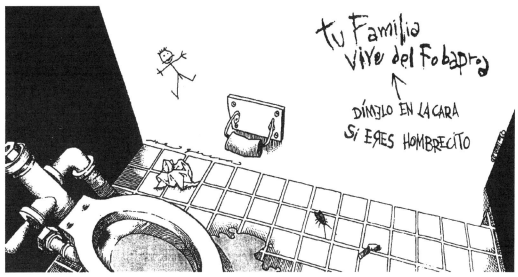

EL NIVEL DE LA CAMPAÑA FUE RICO EN MERCADOTECNIA, INSULTOS Y DESCALIFICACIONES, PERO POBRE EN PROPUESTAS. EN ESPECIAL, LA CAMPAÑA DE FOX, CUYOS ARGUMENTOS MÁS EFICACES FUERON MONOSÍLABOS COMO SU FAMOSO ¡YA!, ¡YA!, ¡YA!

ÉSTAS SON ALGUNAS DE LAS CONTRADICCIONES E INCONGRUENCIAS QUE DIJO VICENTE FOX EN CAMPAÑA:

- EN ESTADOS UNIDOS PROMETIÓ: VENDERÉ PEMEX.

- LUEGO EN MÉXICO JURÓ: NUNCA VENDERÉ PEMEX.

- EN MÉXICO PROMETIÓ: EMPLEOS PARA TODOS LOS MEXICANOS.

- EN E.U. DIJO: HAY QUE PREPARAR A LOS MEXICANOS PARA QUE TRABAJEN DE JARDINEROS EN E.U.

- FOX SE RECLAMABA ANTISALINISTA

Ese chaparro...

- SIN EMBARGO, RAÚL SALINAS LOZANO LO APOYÓ PÚBLICAMENTE:

PROMOVIÓ LA APROBACIÓN DEL FOBAPROA-IPAB Y A LOS BANQUEROS LES DIO GRACIAS A NOMBRE DE LOS MEXICANOS

AL DÍA SIGUIENTE EXIGIÓ:

¡CÁRCEL A LOS BANQUEROS METIDOS EN EL FOBAPROA!

PRIMERO NEGÓ QUE LAS EMPRESAS DE SU FAMILIA ESTUVIERAN EN EL FOBAPROA.

CUANDO LE DEMOSTRARON QUE SÍ ESTABAN, NO TUVO MÁS REMEDIO QUE ACEPTARLO.

¡ES UNA ACUSACIÓN INDIGNANTE!

SÓLO ME QUEDA NEGAR QUE YO ESTOY METIDO EN MI FAMILIA...

PROMETIÓ ACABAR CON TODAS LAS TEPOCATAS, VÍBORAS PRIETAS Y DEMÁS ALIMAÑAS. SIN EMBARGO, TODOS LOS DÍAS RECIBÍA ADHESIONES DE ESTOS BICHOS.

Bienvenidos, Porfirio, Layda, Jorgito, Adolfito, Joel, Evaristo, Durazo, Nachito Morales.

FOX SE RECLAMABA HEREDERO DEL MOVIMIENTO ESTUDIANTIL DEL 68, DE HEBERTO CASTILLO Y ROSARIO IBARRA.

¡Rosario, escucha, Ni sé cuál es tu lucha!

PERO EN SU MOMENTO, JAMÁS APOYÓ ESOS MOVIMIENTOS Y SU PARTIDO SE OPUSO RABIOSAMENTE A ELLOS.

¡Esta virgen sí se ve!

FOX SE DECÍA HEREDERO DEL FRENTE DEMOCRÁTICO NACIONAL, IMPULSADO POR CÁRDENAS EN 1988...

¡Salinas, amigo, Diego está contigo!

SIN EMBARGO, EL PAN LEGITIMÓ A SALINAS COMO PRESIDENTE Y FOX INSULTÓ A CÁRDENAS DURANTE LA CAMPAÑA.

¿No que ya no iba a usar símbolos religiosos?

No, ésta es para crucificar a Cuauhtémoc

EN UNA ENTREVISTA DECLARÓ:

Soy de centro-izquierda

Es más; soy lo que quieran que sea...

PERO SIEMPRE APOYÓ LAS POLÍTICAS MÁS REACCIONARIAS DEL PAN.

Esa niña violada no debe abortar aunque tenga derecho por ley.

DURANTE LA CAMPAÑA, FOX SE PRONUNCIÓ POR UN ESTADO LAICO.

PERO LE PROPUSO AL EPISCOPADO MEXICANO UN DECÁLOGO QUE OFRECÍA, ENTRE OTRAS COSAS:

◆ PROMOVER EL RESPETO A LA VIDA (ES DECIR, NO AL ABORTO).

◆ IMPULSAR QUE LOS PADRES DECIDAN LA EDUCACIÓN DE LOS HIJOS (ES DECIR, EDUCACIÓN RELIGIOSA).

◆ REFORMAR LOS ARTÍCULOS 24 Y 130 DE LA CONSTITUCIÓN.

◆ ABRIRLE A LA IGLESIA LOS MEDIOS MASIVOS DE COMUNICACIÓN.

◆ NO COBRAR IMPUESTOS A LAS IGLESIAS.

EN LA CAMPAÑA DEL 2000, LA DERECHA RELIGIOSA MEXICANA RECIBIÓ UN EMPUJÓN CUANDO EL VATICANO SANTIFICÓ A 27 BEATOS CRISTEROS. ESTO LE DIO ÁNIMOS TRIUNFALISTAS A ESTA CORRIENTE.

SI DE ALGO NO SE PUEDE CULPAR A FOX, ES DE NO HABER HECHO PROMESAS DURANTE SU CAMPAÑA. ENTRE MUCHAS OTRAS COSAS, FOX PROMETIÓ, SI GANABA LA PRESIDENCIA:

- UN GOBIERNO DE EXCELENCIA Y CALIDAD.
- EL FIN DE LA IMPUNIDAD.
- TOTAL HONESTIDAD Y TRANSPARENCIA.
- RESOLVER EL PROBLEMA DE CHIAPAS EN 15 MINUTOS.
- UN CRECIMIENTO DE LA ECONOMÍA DEL 7% ANUAL.
- NO PRIVATIZAR PEMEX NI LA INDUSTRIA ELÉCTRICA.
- CREAR 500 MIL EMPLEOS AL AÑO.
- APOYO AL CAMPESINO.
- UNA REVOLUCIÓN EDUCATIVA.
- UN GABINETE FORMADO POR LAS MEJORES PERSONAS.

EN FIN, QUE EL SUYO SERÍA EL GOBIERNO DEL CAMBIO.

No podrá negar la congruencia de Fox durante su campaña: le daba a cada quien lo que quería...

Si usted quería un Estado laico, se lo prometía; si quería un país religioso, también se lo prometía. Él no tiene broncas.

La bronca no es lo que prometió, sino lo que estaba dispuesto a cumplir...

LA GENTE ESTABA DISPUESTA A ACEPTAR CUALQUIER COSA CON TAL DE SACAR AL PRI DE LOS PINOS, Y FOX ESTABA DISPUESTO A DECIR CUALQUIER COSA CON TAL DE GANAR. UN SECTOR DEL ELECTORADO LE DIO UN "VOTO ÚTIL" ANTIPRIÍSTA, A PESAR DE QUE FOX REPRESENTABA LOS INTERESES DE SECTORES TAN REACCCIONARIOS COMO LA IGLESIA CATÓLICA, PROVIDA, LOS BANQUEROS, ETC.

A PESAR DE TODAS SUS CONTRADICCIONES, FOX SIEMPRE FUE CONGRUENTE AL HABLAR DE SU PROYECTO ECONÓMICO: UN PROGRAMA NEOLIBERAL QUE CONTINUABA EL DE SALINAS Y ZEDILLO: APERTURA DE FRONTERAS, PRIVATIZACIONES, ECONOMÍA DE MERCADO, ETC.

LA MERCADOTECNIA ELECTORAL DE FOX DIO RESULTADO. AUNQUE LA MAYORÍA DE LAS ENCUESTAS PUBLICADAS LE DABAN EL TRIUNFO A LABASTIDA, LA PERCEPCIÓN GENERAL ERA QUE FOX ESTABA MUY CERCA DEL PRIÍSTA, O INCLUSO LO SUPERABA. PARA GANAR, EL PRI NECESITABA UN FRAUDE DESCOMUNAL... Y SE ABOCÓ A HACERLO.

HUBO CANTIDAD DE DENUNCIAS EN EL SENTIDO DE QUE EL PRI ESTABA COMPRANDO Y COACCIONANDO EL VOTO.

PRUEBA DE QUE EL PRI PREPARÓ PARA LAS ELECCIONES DEL 2000 UN FRAUDE DESCOMUNAL ES QUE SE PUDO DOCUMENTAR UN DESVÍO MULTIMILLONARIO DE FONDOS DEL SINDICATO PETROLERO HACIA LA CAMPAÑA DE LABASTIDA, CON EL CONTUBERNIO DE LAS AUTORIDADES DE PEMEX.

INCLUSO EN LA MAÑANA DEL DÍA DE LAS ELECCIONES, LABASTIDA ESTABA MUY CONFIADO, MIENTRAS QUE FOX Y CÁRDENAS DENUNCIABAN QUE EL PRI TENÍA PREPARADO UN ENORME FRAUDE.

EN EFECTO, EN CHIAPAS, GUERRERO, TABASCO Y OTRAS LOCALIDADES SE REGISTRARON LOS CLÁSICOS CHANCHULLOS ELECTORALES PRIÍSTAS.

SIN EMBARGO, EN EL RESTO DEL PAÍS, LAS COSAS FUERON DE OTRO MODO.
LA VOTACIÓN FUE COPIOSA.

APARENTEMENTE, DESDE LA PRESIDENCIA DE LA REPÚBLICA SE DETUVO LA MAQUINARIA PRIÍSTA DEL FRAUDE. ESTO SE CONFIRMÓ CON EL HECHO DE QUE ZEDILLO SE APRESURÓ A RECONOCER EL TRIUNFO DE FOX LA NOCHE DEL 2 DE JULIO, CUANDO AÚN NO HABÍA RESULTADOS DEFINITIVOS.

¡¡YA LLEGÓ, YA ESTÁ AQUÍ; EL QUE YA CHINGÓ AL PRI!!

ASÍ, DEL FRAUDE PATRIÓTICO SE PASÓ AL MADRUGUETE DEMOCRÁTICO.

ZEDILLO PARÓ EL FRAUDE DEL PRI, PERO, AL PARECER, NO LO HIZO POR VOCACIÓN DEMOCRÁTICA. SABÍA QUE OTRO MEGAFRAUDE ELECTORAL HUBIERA PROVOCADO UNA INSURRECCIÓN EN EL PAÍS CAUSANDO CAOS SOCIAL, POLÍTICO Y ECONÓMICO. PARA SALVAR EL RÉGIMEN NEOLIBERAL, ZEDILLO SACRIFICÓ EL PARTIDO CON EL QUE YA TENÍA UNA "SANA DISTANCIA".

ESTA INTERVENCIÓN DE ZEDILLO PRUEBA QUE ESTABA MÁS COMPROMETIDO CON EL RÉGIMEN NEOLIBERAL QUE CON EL PRI.

EL BALANCE FINAL DE LAS ELECCIONES DEL 2000 ES QUE, GRACIAS A LA INTERVENCIÓN DE ZEDILLO, EL PRI PERDIÓ LA PRESIDENCIA...

EL TRIUNFO DE FOX EN REALIDAD NO FUE DEL TODO TRANSPARENTE, PERO CON SU TRIUNFO QUEDÓ GARANTIZADA POR SEIS AÑOS MÁS LA CONTINUIDAD DEL RÉGIMEN NEOLIBERAL.

CAPÍTULO 4. LOS AMIGOS DE FOX Y DE LO AJENO

POCO ANTES DE LAS ELECCIONES, EL PRI PRESENTÓ DOCUMENTOS QUE SUGERÍAN IRREGULARIDADES FINANCIERAS EN LA CAMPAÑA DE FOX, PERO ESTA DENUNCIA SE PERDIÓ EN LA EFERVESCENCIA DE LA CONTIENDA. POSTERIORES INVESTIGACIONES PERIODÍSTICAS HAN DEMOSTRADO QUE SÍ HABÍA COSAS CHUECAS.

EN ENERO DE 1998 SE CONSTITUYÓ UNA ASOCIACIÓN CON EL OBJETO DE RECAUDAR FONDOS PARA LA CAMPAÑA PRESIDENCIAL DEL 2000. EL CEREBRO FINANCIERO DETRÁS DE ESTA ORGANIZACIÓN ERA LINO KORRODI, UN CUATE QUE CHENTE CONOCIÓ EN LA COCA COLA.

¿QUÉ TE PARECE "CÓMPLICES DE FOX"? ¿"COMPINCHES DE FOX"? ... ¿O "ENCUBRIDORES DE FOX"...?

EL NOMBRE DEFINITIVO DE LA ASOCIACIÓN FUE AMIGOS DE FOX,

ESTOS AMIGOS ABRIERON CUENTAS BANCARIAS EN TODO EL PAÍS Y EN MUCHOS CASOS HICIERON TRIANGULACIONES FINANCIERAS PARA ESCONDER EL ORIGEN DE LOS DINEROS. ESTAS MANIOBRAS SON TÍPICAS DEL LAVADO DE DINERO.

¿UD. CREE QUE EN EL FINANCIAMIENTO DE LA CAMPAÑA DE FOX HAYA HABIDO COSAS TURBIAS Y CHUECAS?

NO ESTOY SEGURA, PERO LA DUDA ME KORRODI.

SEGÚN LA LEY ELECTORAL, EN EL FINANCIAMIENTO DE UNA CAMPAÑA ESTÁ PROHIBIDO:

◆ RECIBIR DINERO DEL EXTRANJERO.
◆ RECIBIR DINERO DE EMPRESAS MERCANTILES.
◆ RECIBIR DONATIVOS MAYORES DE 750 MIL PESOS, DE PERSONAS FÍSICAS.

ADEMÁS EXISTEN TOPES DE CAMPAÑA
Y ES OBLIGACIÓN DEL PARTIDO EN CONTIENDA REPORTAR TODAS LAS APORTACIONES.

CON LA SOSPECHA DE QUE AMIGOS DE FOX HABÍA VIOLADO LA LEY ELECTORAL, EL INSTITUTO FEDERAL ELECTORAL (IFE) INICIÓ UNA INVESTIGACIÓN.

PARA FINANCIAR UNA CAMPAÑA, LA LEY ELECTORAL PROHIBE:

■ DINERO DEL EXTRANJERO.
■ APORTACIONES DE EMPRESAS MERCANTILES.
■ APORTACIONES MAYORES A 750 MIL PESOS DE PERSONAS FÍSICAS

¿ESO ESTÁ PROHIBIDO...? YO PENSÉ QUE ERAN LOS REQUISITOS...

SE HA DEMOSTRADO QUE AMIGOS DE FOX RECIBIÓ DONACIONES DE EMPRESAS MERCANTILES COMO CEMEX, JUMEX, SEGUROS COMERCIAL AMÉRICA Y GRUPO FLEX.

F·R·I·E·N·D·S O·F F·O·X

EN LO QUE A DONATIVOS PERSONALES SE REFIERE, EL EMPRESARIO CARLOS SLIM ACEPTÓ HABER DONADO, ÉL SOLO, 18 MILLONES DE PESOS (MÁS DE 20 VECES EL MONTO PERMITIDO). ES CLARO QUE LA CAMPAÑA REBASÓ EL TOPE LEGAL Y QUE MUCHAS DE ESTAS APORTACIONES NO FUERON REPORTADAS AL IFE.

¿LAVASTE DINERO DE LA CAMPAÑA, LINO?

NO, TE JURO QUE TODO ESTABA PUERQUÍSIMO.

EL DINERO LLEGABA A CUENTAS DE EMPRESAS DE KORRODI...

KORRODI LO ENVIABA A CUENTAS MANEJADAS POR CARLOTA ROBINSON, UNA AMA DE CASA SIN INGRESOS FIJOS...

Y CARLOTA PULVERIZABA EL DINERO HACIA LA CAMPAÑA DE FOX.

SIGUIENDO LA PISTA DE ALGUNAS TRANSACCIONES, SE ENCONTRARON CASOS COMO EL SIGUIENTE:

LA SEÑORA PURITA PRIETO, REPRESENTANTE DE LA COCA COLA, SACÓ DINERO DE UN BANCO TEXANO PARA DÁRSELO A CARLOTA.

PURITA ES PRESIDENTA DE PROMOTORA INDUSTRIAL AZUCARERA S.A., EMPRESA QUE TIENE DOS INGENIOS AZUCAREROS (ADOLFO LÓPEZ MATEOS Y TRES VALLES).

LOS INGENIOS DE PROMOTORA INDUSTRIAL AZUCARERA SURTEN AL GRUPO CONTAL, QUE MANEJA LA COCA COLA EN MÉXICO.

¿CUÁLES SON LOS ÚNICOS DOS INGENIOS AZUCAREROS QUE FOX NO EXPROPIÓ EN EL 2001?

A PESAR DE QUE FOX PROMETIÓ TRANSPARENCIA, SUS AMIGOS USARON TODAS LAS ARGUCIAS LEGALES POSIBLES PARA RETRASAR LAS INVESTIGACIONES Y SOLICITARON AMPAROS.

POR SU PARTE, LA COMISIÓN NACIONAL BANCARIA Y DE VALORES SE NEGÓ A DAR INFORMACIÓN SOBRE EL CASO, ADUCIENDO VIOLACIÓN AL SECRETO BANCARIO.

EDUARDO FERNÁNDEZ, EX PRESIDENTE DE LA COMISIÓN NACIONAL BANCARIA, DECLARÓ QUE DURANTE SU GESTIÓN SE DETECTARON MOVIMIENTOS IRREGULARES EN LAS CUENTAS DE AMIGOS DE FOX, Y ASÍ SE LO HIZO SABER AL PRESIDENTE ZEDILLO QUIEN NO HIZO NADA.

¿QUÉ EL SEÑOR EDUARDO FERNÁNDEZ NO ERA EL RESPONSABLE DEL **FONDO BANCARIO** DE PROTECCIÓN A MIS AMIGOS?

LA PGR, EN VEZ DE INVESTIGAR A LOS AMIGOS DE FOX, DETUVO INMEDIATAMENTE A... ¡EDUARDO FERNÁNDEZ POR LAVADO DE DINERO! AL POCO TIEMPO LO TUVIERON QUE SOLTAR POR FALTA DE PRUEBAS.

EDUARDO FERNÁNDEZ DICE LO QUE DICE PORQUE TEME IR A LA CÁRCEL...

¿Y USTED...?

YO SOY AMIGO DE FOX...

A MEDIADOS DEL 2003, LA PGR, DESPUÉS DE UNA INVESTIGACIÓN SOSPECHOSAMENTE EXPEDITA, EXONERÓ A LINO KORRODI DEL DELITO MÁS GRAVE: LAVADO DE DINERO...

SIN EMBARGO, LA RESPONSABLE DE LA UNIDAD ESPECIALIZADA CONTRA LAVADO DE DINERO DE LA PGR DECLARÓ QUE ENTRE EL 15 Y 20% DEL FINANCIAMIENTO DE LA CAMPAÑA DE FOX ERA DINERO QUE PROVENÍA DEL EXTRANJERO. DESPUÉS LA PGR INTENTÓ DESMENTIR ESTA DECLARACIÓN, PERO SE HIZO MÁS BOLAS...

SI BIEN LINO KORRODI ES EL PRINCIPAL ACUSADO DE TODAS ESTAS ANOMALÍAS, ES
CLARO QUE ACTUÓ COMO OPERADOR DE VICENTE FOX Y QUE DIVERSAS INSTANCIAS
DEL GOBIERNO QUE ÉSTE PRESIDE HAN CONTRIBUIDO A RETRASAR LA INVESTIGACIÓN,
ENTURBIANDO LA TRANSPARENCIA PROMETIDA.

NO CABE DUDA: FOX
LLEVÓ UNA DOBLE
CONTABILIDAD EN
SU CAMPAÑA.

PROMESAS

REALIDAD

EL FISGÓN

RESTA POR
AVERIGUAR EL
GRADO DE
COMPLICIDAD
DEL PAN Y DEL
PROPIO FOX EN
ESTAS
OPERACIONES
ELECTORALES
ILEGALES.

FOX NO ERA
RESPONSABLE DEL
FINANCIAMIENTO DE SU
CAMPAÑA... ÉL ERA SÓLO
EL CANDIDATO... ES COMO
RESPONSABILIZARLO POR
LO QUE PASA EN EL
PAÍS... ÉL ES
SÓLO EL
PRESIDENTE...

PAN

55

LA PREGUNTA INEVITABLE ES ¿QUÉ COMPROMISOS DE GOBIERNO ADQUIRIÓ EL CANDIDATO AL ACEPTAR DURANTE SU CAMPAÑA DINERO DE EMPRESAS MERCANTILES Y DEL EXTRANJERO?

MARQUE CON UNA CRUZ LO QUE USTED CREE QUE FOX COMPROMETIÓ A CAMBIO DEL FINANCIAMIENTO ILEGAL DE SU CAMPAÑA.

☐ LOS CONTRATOS DE HALLIBURTON EN PEMEX ☐ LA LIBERACIÓN DE ARANCELES PARA LA IMPORTACIÓN DE FRUCTUOSA ☐ LA REFORMA LABORAL ☐ LA PRIVATIZACIÓN DE LA CFE ☐ LA PRIVATIZACIÓN DE PEMEX ☐ LA VENTA DE TRANSPORTACIÓN FERROVIARIA MEXICANA A UNA EMPRESA GRINGA ☐ LA CONTINUACIÓN DE LA IMPUNIDAD EN EL FOBAPROA ☐ SEGUIR MANTENIENDO A LOS BANQUEROS A TRAVÉS DEL IPAB ☐ IMPULSAR UNA ZONA DE LIBRE MERCADO EN MÉXICO Y EN AMÉRICA LATINA ☐ TODAS LAS ANTERIORES ☐ TODAS LAS ANTERIORES MÁS LAS QUE SE ACUMULEN ESTA SEMANA.

POCO DESPUÉS DE HABER EXONERADO A LOS AMIGOS DE FOX, LA PGR TAMBIÉN EXONERÓ A LOS PRIÍSTAS RESPONSABLES DE HABER DESVIADO FONDOS DE PEMEX A LA CAMPAÑA DE LABASTIDA.
¿ACASO HUBO UNA NEGOCIACIÓN EN LA CÚPULA ENTRE EL PRI Y EL PRESIDENTE EN LA QUE SE PACTÓ LA IMPUNIDAD DE LOS DELINCUENTES ELECTORALES DE AMBOS BANDOS? ¿O DE QUE OTRO MODO SE PUEDE EXPLICAR ESTE DESENLACE?

ES INNEGABLE QUE TANTO EN EL CASO DEL PEMEXGATE COMO EN EL DE LOS AMIGOS DE FOX SE COMETIERON IRREGULARIDADES ELECTORALES GRAVES Y EL QUE ESTOS DELITOS SIGAN IMPUNES SÓLO ABONA A FAVOR DE LA CULTURA ELECTORAL DEL FRAUDE.

CAPÍTULO 5. QUÉ TRANSA CON LA TRANSICIÓN

58

FOX PROMETIÓ DE ENTRADA UN GOBIERNO DE EXCELENCIA Y CALIDAD Y, TAL COMO HACEN LAS EMPRESAS MERCANTILES PARA CONSEGUIR GERENTES O VENDEDORES, CONTRATÓ A UNA AGENCIA BUSCADORA DE TALENTO PARA QUE LE ENCONTRARA LOS "MEJORES HOMBRES" PARA SU GABINETE.

EL PRESIDENTE ELECTO ARMÓ UN EQUIPO DE TRANSICIÓN QUE IBA A TRABAJAR DIVERSOS ASPECTOS POLÍTICOS, ECONÓMICOS Y ADMINISTRATIVOS DEL PAÍS CON EL GOBIERNO SALIENTE, A FIN DE LOGRAR UNA TRANSICIÓN EFICAZ. PARA ELLO, RENTÓ UN PISO EN EL HOTEL MÁS CARO DEL PAÍS Y LE PAGÓ A SU GENTE SUELDOS DE MINISTRO, A PESAR DE HABER PROMETIDO QUE TRABAJARÍAN SÓLO POR AMOR A MÉXICO.

COMO SI SE TRATARA DEL LANZAMIENTO DE UN NUEVO PRODUCTO, FOX HIZO UN GRAN SHOW PUBLICITARIO PARA ANUNCIAR SU "GABINETAZO". ÉSTE ESTÁ FORMADO ESENCIALMENTE POR EMPRESARIOS SIN EXPERIENCIA EN ADMINISTRACIÓN PÚBLICA, EX FUNCIONARIOS SALINISTAS Y MUY POCOS PANISTAS. ENTRE ELLOS DESTACAN:

EN LA SECRETARÍA DEL TRABAJO, UN LÍDER DE LA COPARMEX.

EN AGRICULTURA, UN ACAPARADOR CONOCIDO COMO EL REY DEL AJO.

EN HACIENDA, UN TERRORISTA FISCAL DEL GABINETE DE SALINAS.

EN ECONOMÍA, UN EX PRESIDENTE DEL BANCO MUNDIAL.

EN DESARROLLO SOCIAL, UNA AUTORA DE LIBROS DE AUTOAYUDA.

EN ENERGÍA, UN GERENTE DE LA TRANSNACIONAL DUPONT.

EN TURISMO, UNA VENDEDORA DE COSMÉTICOS.

COMO VOCERA, UNA MAESTRA DE INGLÉS.

LA MAÑANA DE LA TOMA DE POSESIÓN, FOX FUE A MISA A DAR GRACIAS. LUEGO, EN LA CEREMONIA DE TRANSMISIÓN DE PODERES, ROMPIÓ EL PROTOCOLO: SALUDÓ A SU FAMILIA Y CAMBIÓ EL TEXTO DEL DISCURSO. FINALMENTE, EN UN ACTO PÚBLICO RECIBIÓ UN CRUCIFIJO DE MANOS DE SU HIJA.

SIN LUGAR A DUDAS, FOX CONFIABA EN SU POPULARIDAD, PUES LAS ENCUESTAS SEÑALABAN QUE TENÍA UNA APROBACIÓN SUPERIOR AL 80%. ¿QUÉ IBA A HACER CON ESE CAPITAL POLÍTICO?

ESPERO QUE ME ALCANCE PARA PAGAR EL AUMENTO AL IVA, LAS PRIVATIZACIONES, EL...

BANCO DE LA POPULARIDAD
PÁGUESE ESTE CHEQUE A *Vicente Fox*
2 de Julio
FECHA

EL FISGÓN

EN UN PRINCIPIO, EL FLAMANTE PRESIDENTE HIZO LO QUE QUISO: HARTAS FRIVOLIDADES. LA NOCHE DE LA TOMA DE POSESIÓN, EN EL CASTILLO DE CHAPULTEPEC, REALIZÓ UNA SUNTUOSA FIESTA DE GALA TIPO IMPERIAL CON INVITADOS DE TODO EL MUNDO.

¡CELEBREMOS QUE POR FIN HA TERMINADO LA PRESIDENCIA IMPERIAL...!

FOX

EL PRIMER GOLPE A LA IMAGEN DE FOX FUE EL ESCÁNDALO DEL "TOALLAGATE". UN DIARIO PUBLICÓ QUE EN LAS COMPRAS DE DIVERSOS ENSERES DOMÉSTICOS PARA LOS PINOS, SE HABÍAN HECHO GASTOS ESTRATOSFÉRICOS, COMO TOALLAS DE 4 MIL PESOS.

¡PINCHES TOALLAS...!, ¡TAN CARAS QUE SALIERON Y EN LUGAR DE SECAR, ME EMBARRARON TODO...!

EN UN PRINCIPIO PRESIDENCIA NEGÓ TODO. LUEGO FOX LO ACEPTÓ Y SE UFANÓ DE QUE ESOS DATOS SE CONOCIERAN PORQUE EN SU GOBIERNO HABÍA TRANSPARENCIA. AUNQUE EL ENCARGADO DE ESAS COMPRAS RENUNCIÓ, NUNCA SE LE FINCARON RESPONSABILIDADES. LA IMAGEN DE FOX NO SALIÓ BIEN LIBRADA DEL ESCÁNDALO.

PRONTO EL EX GERENTE DE LA COCA COLA BUSCÓ DARLE A SU PRESIDENCIA LA IMAGEN DE UN GOBIERNO DE EMPRESARIOS Y PARA EMPRESARIOS. COMO SI FUERA UN LOGOTIPO COMERCIAL QUE PUEDE MODIFICAR A VOLUNTAD EL GERENTE EN TURNO, MUTILÓ EL ÁGUILA DEL ESCUDO NACIONAL EN LOS SELLOS OFICIALES.

DESDE EL DÍA EN QUE FOX TOMÓ POSESIÓN, EL DESTINO DE MÉXICO DURANTE EL SEXENIO QUEDÓ AMARRADO A LOS INTERESES DE LOS GRANDES GRUPOS FINANCIEROS Y DE LOS CAPITALES MULTINACIONALES.

¡UPS! YA NO CUPO EL AGUILITA...

SIN EMBARGO, EL PROYECTO EMPRESARIAL NEOLIBERAL GLOBALIZADOR VIOLENTA EL PACTO SOCIAL NACIONAL CONSAGRADO EN UNA SERIE DE ARTÍCULOS CLAVE DE LA CONSTITUCIÓN MEXICANA. PARA IMPLEMENTAR SU PROYECTO, FOX TENÍA QUE CAMBIAR LA CONSTITUCIÓN TAL COMO LO HICIERON SALINAS Y ZEDILLO.

Y EL 5 DE FEBRERO DEL 2001, FOX PLANTEÓ REFORMAR SUSTANCIALMENTE LA CONSTITUCIÓN.

64

PERO PARA REALIZAR ESTOS CAMBIOS CONSTITUCIONALES, SE NECESITA MAYORÍA EN LA CÁMARA, Y EL PAN NO LA TENÍA. PARA LOGRAR SUS OBJETIVOS, EL NUEVO GOBIERNO DEBÍA CABILDEAR Y NEGOCIAR CON LAS DEMÁS FUERZAS POLÍTICAS, PERO FOX NO RESULTÓ SER UN NEGOCIADOR HÁBIL.

DESPUÉS DE MESES DE NEGOCIACIONES, EN OCTUBRE DEL 2001, TODOS LOS PARTIDOS FIRMARON EL 'ACUERDO PARA EL DESARROLLO NACIONAL', UNA SUERTE DE PACTO DE GOBERNABILIDAD FINCADO EN LAS FUERZAS PARTIDARIAS.

ESTOY DISPUESTO A FIRMAR UN PACTO DE GOBERNABILIDAD CON EL FMI, BM... DIGO CON EL PRI, PAN, PRD...

EN ESE PACTO SE PLANTEÓ LA NECESIDAD DE HACER UNA REFORMA FISCAL, LA DEL ESTADO Y LA ENERGÉTICA. AHÍ EL GOBIERNO DIJO QUÉ QUERÍA HACER, PERO NO CÓMO PENSABA HACERLO.

SI NO HACEMOS LAS REFORMAS NECESARIAS, AQUÍ NO VA A HABER DESFALCOS DE LA MAGNITUD DE LOS PAÍSES AVANZADOS

ÉSTE ES UN PACTO DE LA CLASE POLÍTICA, Y LA MAYORÍA DE LOS MEXICANOS NO SE SIENTE REPRESENTADA POR NINGÚN PARTIDO. MUCHA GENTE SIENTE QUE ESTOS ACUERDOS PARTIDARIOS CUPULARES SÓLO HAN SERVIDO PARA FREGARLOS. DE MODO QUE ESTE ACUERDO NO REPRESENTA LOS VERDADEROS INTERESES DE LA GENTE Y SÓLO BUSCA UN CONTROL POLÍTICO.

¡ÁNDALE! UN PACTO DE GOBERNABILIDAD. ...QUE YO PUEDA GOBERNAR AL PAÍS, TAL Y COMO ME GOBIERNAN LOS GRANDES CAPITALES.

ESTOS ACUERDOS CUPULARES SON TÍPICOS DE LOS GOBIERNOS NEOLIOBERALES QUE NO VEN POR LOS INTERESES DE LAS MAYORÍAS SINO POR LOS DE UNA ECONOMÍA MUNDIAL DOMINADA POR LOS GRANDES CAPITALES. LOS GOBIERNOS ANTEPONEN LOS INTERESES DE LAS MULTINACIONALES A LOS DE SUS COMPATRIOTAS. EN ESTA LÓGICA, LOS MANDATARIOS SE CONVIERTEN EN ADMINISTRADORES MENORES DE LOS CAPITALES GLOBALES.

CAPÍTULO 6. LOS OTROS AMIGOS DE FOX

EN SU PROYECTO NEOLIBERAL, FOX TIENE COMO ALIADOS NATURALES A LOS GRANDES EMPRESARIOS NACIONALES (INCLUYENDO A LOS DUEÑOS DE LOS MEDIOS MASIVOS DE COMUNICACIÓN), A LOS SECTORES MÁS CONSERVADORES DEL PAÍS (EL PAN Y LA IGLESIA) Y A LA CLASE POLÍTICA CORRUPTA Y OPORTUNISTA (EN ESPECIAL DEL PRI). LOS GRANDES EMPRESARIOS NACIONALES SON LOS QUE LO APOYARON EN LA CAMPAÑA Y SON LOS PRINCIPALES BENEFICIARIOS DE SU PROYECTO ECONÓMICO.

SIN EMBARGO, ESTOS GRANDES EMPRESARIOS NACIONALES SON POCA COSA ANTE LOS GRANDES CAPITALISTAS INTERNACIONALES, EN ESPECIAL LOS DE EU. INCLUSO LOS RICACHONES MEXICANOS SE HAN VISTO AFECTADOS POR ESTA ÚLTIMA FASE DE GLOBALIZACIÓN DE LA ECONOMÍA DIRIGIDA POR EL FONDO MONETARIO INTERNACIONAL.

ALFONSO ROMO, UNO DE LOS PRINCIPALES APOYOS DE FOX DURANTE LA CAMPAÑA, TRONÓ A LOS POCOS MESES DE QUE SU CUATE LLEGARA AL PODER. EL MISMÍSIMO CARLOS SLIM, EL HOMBRE MÁS RICO DE AMÉRICA LATINA, LLEGÓ A DECLARAR QUE EL PROYECTO ECONÓMICO APLICADO EN MÉXICO NO ES NEOLIBERALISMO, SINO UNA NUEVA FORMA DE COLONIALISMO YANQUI.

LOS MEGAEMPRESARIOS MEXICANOS NUNCA PODRÁN COMPETIR CON LOS SUPER-
ARCHIMEGAEMPRESARIOS DE EU, Y POCO A POCO LAS EMPRESAS MEXICANAS DE PUNTA
HAN SIDO ABSORBIDAS POR LOS CONSORCIOS YANQUIS. ASÍ, LA CADENA DE
AUTOSERVICIO WAL-MART ABSORBIÓ A AURRERÁ Y CITYBANK COMPRÓ BANAMEX.

FINALMENTE,
MUCHOS DE LOS
MEGAEMPRESARIOS
QUE APOYARON A
FOX LO VEN MÁS
COMO UN GESTOR
DE SUS INTERESES
QUE COMO UN
MANDATARIO
SOBERANO. MÁS
QUE ALIADOS DEL
PRESIDENTE,
MUCHOS DE ELLOS
SE SIENTEN SUS
PATRONES.

COMPLETA
Y COPETEADA,
POR
FAVOR...

A PESAR DE TODO, EL GOBIERNO DE FOX SÍ HA CONTADO CON EL APOYO DE SECTORES IMPORTANTES DEL EMPRESARIADO NACIONAL. EN ESPECIAL DE LOS DUEÑOS DE LOS MEDIOS ELECTRÓNICOS QUE CONTRIBUYEN A REFORZAR LA IMAGEN DEL PRESIDENTE.

LOS EMPRESARIOS QUE MÁS HAN APOYADO A ESTE GOBIERNO SON AQUELLOS QUE COMPARTEN LA AGENDA ULTRACONSERVADORA DEL PAN Y DE LA IGLESIA. TAL ES EL CASO DEL DUEÑO DE BIMBO, QUE REALIZA BOICOTS PUBLICITARIOS CONTRA LOS MEDIOS QUE SE ATREVEN A VIOLENTAR LAS "BUENAS COSTUMBRES" O A DENUNCIAR ESCÁNDALOS DE LA IGLESIA.

CAPÍTULO 7. CANGREJOS AL COMPÁS

LOS GRUPOS ULTRA-
CONSERVADORES NO
TIENEN EN MÉXICO GRAN
FUERZA POPULAR, SIN
EMBARGO, CON LA
VICTORIA DEL PAN Y LA
LLEGADA DE FOX A LA
PRESIDENCIA, VIERON UN
TRIUNFO HISTÓRICO DE
SU CAUSA Y CREYERON
QUE YA HABÍA LLEGADO
SU HORA.

AL PARECER, LA IGLESIA CATÓLICA MEXICANA REGRESÓ POR SUS FUEROS Y CON UNA
GRAN NOSTALGIA POR EL PASADO BUSCÓ POR TODOS LOS MEDIOS RESTABLECER SUS
PRIVILEGIOS Y SU INFLUENCIA.

COMO NO OCURRÍA HACE DÉCADAS, LOS SECTORES MÁS ATRASADOS DE LA IGLESIA CATÓLICA Y SUS ALIADOS BUSCARON POR TODOS LOS MEDIOS PROMOVER SU AGENDA MORALINA.

LOS JERARCAS DE LA IGLESIA Y ALGUNOS GRUPOS AFINES, COMO PROVIDA, SE LANZARON EN UNA CRUZADA CONTRA CIERTOS DERECHOS CIUDADANOS, EN ESPECIAL CONTRA LOS DERECHOS DE LA MUJER.

DESDE EL PROPIO GABINETE, EL SECRETARIO DEL TRABAJO, CARLOS ABASCAL, EN VEZ DE PREOCUPARSE POR LA SITUACIÓN LABORAL PROMOVIÓ ABIERTAMENTE LA IDEA DE QUE LA MUJER NO DEBÍA 'MASCULINIZARSE', DEBÍA DEJAR DE BUSCAR CHAMBA Y CUMPLIR SU PAPEL TRADICIONAL DE AMA DE CASA Y MADRE.

¡ESTÁN DESTRUYENDO A LA FAMILIA!

SÍ... ⊙# EMPRESARIOS CULEROS. YA PAGUEN SALARIOS QUE ALCANCEN

EL FISGÓN.

ABASCAL INCLUSO LLEGÓ A EXIGIR QUE EN LA ESCUELA DE SU HIJA SE PROHIBIERAN LECTURAS INMORALES, COMO ALGUNOS LIBROS DE LOS ESCRITORES CARLOS FUENTES Y GABRIEL GARCÍA MÁRQUEZ.

¿PARA QUÉ QUIERES LEER A FUENTES...? TODO LO QUE NECESITAS SABER DE LA VIDA ESTÁ EN CHEPINA...

COCINA

EN SU CAMPAÑA MORALINA, LOS JERARCAS DE LA IGLESIA ARREMETIERON CONTRA LAS POLÍTICAS DE CONTROL NATAL Y BUSCARON ENDURECER LAS LEYES ANTIABORTO. INCLUSO PRESIONARON PARA QUE UNA MENOR VIOLADA NO ABORTARA, A PESAR DE QUE ELLA LO PEDÍA Y LA LEY SE LO PERMITÍA.

EN PLENA PANDEMIA DEL SIDA, HICIERON CAMPAÑA ABIERTA CONTRA EL CONDÓN Y DIERON RIENDA SUELTA A SU HOMOFOBIA, A LA VEZ QUE ENCUBRÍAN A JERARCAS DE LA IGLESIA ACUSADOS DE ABUSO DE MENORES. TAL ES EL CASO DEL PADRE MACIEL, LÍDER MÁXIMO DE LOS PODEROSOS 'LEGIONARIOS DE CRISTO'.

INCLUSO INTENTARON CENSURAR EXPOSICIONES, PROGRAMAS DE TELEVISIÓN Y PELÍCULAS, COMO "EL CRIMEN DEL PADRE AMARO", ARROGÁNDOSE LA AUTORIDAD Y EL DERECHO A DECIDIR QUÉ DEBEN VER Y QUÉ NO DEBEN VER LOS MEXICANOS.

A PESAR DE QUE LA SOCIEDAD MEXICANA ES YA DEMASIADO LIBERAL PARA LOS OBISPOS NACIONALES Y YA NO ACEPTA LA CENSURA RELIGIOSA, EN ESTE SEXENIO LA PRESENCIA DE LA IGLESIA SE VIO FORTALECIDA POR EVENTOS COMO LA CANONIZACIÓN DE JUAN DIEGO Y EL CULTO DE LOS SANTOS CRISTEROS DEL BAJÍO, UN GUIÑO DEL VATICANO A LA DERECHA PARTIDISTA MEXICANA.

LA VISITA QUE REALIZÓ EL PAPA JUAN PABLO II A MÉXICO EN EL 2002 CON MOTIVO DE LA CANONIZACIÓN DE JUAN DIEGO NO FUE TANTO UN ACONTECIMIENTO RELIGIOSO COMO UN ACTO COMERCIAL, POLÍTICO Y MEDIÁTICO QUE LA DERECHA MEXICANA CAPITALIZÓ DE DIFERENTES MANERAS.

DURANTE ESTA GIRA EL PRESIDENTE FOX SE POSTRÓ ANTE JUAN PABLO II, UN DIGNATARIO EXTRANJERO, Y BESÓ EL ANILLO PAPAL, LO QUE VA EN DETRIMENTO DE SU INVESTIDURA PRESIDENCIAL.

LA CONSTITUCIÓN FUE HECHA A UN LADO ANTE LA FIGURA DE JUAN PABLO II.

A PESAR DE QUE EL MOTIVO DE ESTE VIAJE FUE LA CANONIZACIÓN DE JUAN DIEGO, LOS BENEFICIARIOS FUERON LOS MISMOS DE SIEMPRE: LOS POTENTADOS, LOS PODEROSOS.

AL FINAL DE SU VIAJE, EL PAPA HABLÓ DEL PAPEL IMPORTANTE QUE TIENEN LOS INDIOS EN MÉXICO; DICHO LO CUAL, TODO EL MUNDO LOS OLVIDÓ.

EL FERVOR RELIGIOSO DEL PRESIDENTE NO SE LIMITÓ A LA VISITA DEL PAPA. DURANTE LA CAMPAÑA USÓ EL ESTANDARTE DE LA GUADALUPANA, CADA VEZ QUE PUEDE HACE DE SUS IDAS A MISA ACTOS MEDIÁTICOS E INCLUSO PERMITIÓ QUE SE REZARA PÚBLICAMENTE EN UN ACTO OFICIAL EN LOS PINOS.

ANTE UN EJECUTIVO QUE NO DISTINGUE ENTRE SU FE RELIGIOSA Y SUS DEBERES COMO MANDATARIO, LA IGLESIA HABLA DE HACER UNA NUEVA LEY RELIGIOSA QUE LE DÉ MÁS PRIVILEGIOS Y PRERROGATIVAS POLÍTICAS.

EN ESTE GOBIERNO, LOS JERARCAS CATÓLICOS HAN INSISTIDO EN QUE SE REVISEN LAS RELACIONES ENTRE LA IGLESIA MEXICANA Y EL ESTADO, LAS CUALES HAN SIDO, EN TÉRMINOS HISTÓRICOS, DIFÍCILES Y CONFLICTIVAS POR LA CERRAZÓN Y VORACIDAD DE LA JERARQUÍA CATÓLICA MEXICANA.

FINALMENTE, A PESAR DE QUE ESTÁ EXPLÍCITAMENTE PROHIBIDO POR LA CONSTITUCIÓN, EN ESTE SEXENIO EL CLERO MEXICANO SE METIÓ EN POLÍTICA REALIZANDO UNA CAMPAÑA PROSELITISTA A FAVOR DEL PAN, LO QUE FUE EVIDENTE EN LA CONTIENDA ELECTORAL DEL 2003.

DIVERSOS OBISPOS LE PIDIERON A SUS FIELES UN VOTO RAZONADO A FAVOR DE LOS PARTIDOS QUE DEFIENDEN VALORES CRISTIANOS Y LLAMÓ A VOTAR EN CONTRA DE PARTIDOS QUE, SEGÚN ELLOS, PROMOVÍAN LA HOMOSEXUALIDAD Y EL ABORTO.

...Y EL **PAN** NUESTRO DE CADA DÍA, DÁNOSLO EL **6 DE JULIO.**

CAPÍTULO 8. PAN CON LO MISMO

SIN DUDA ALGUNA, POR SU AGENDA MORALINA Y CONSERVADORA, EL PAN ES EL PARTIDO MÁS CERCANO A LA IGLESIA MEXICANA.

POR UNA PATRIA ABNEGADA Y PUDOROSA

LICENCIADO EN AD

PAN

SIN EMBARGO, A PESAR DE ESTO, FOX PARECE ESTAR MÁS COMPROMETIDO CON LOS PRINCIPIOS E INTERESES DE LA IGLESIA QUE CON LOS DE SU PROPIO PARTIDO.

DESDE ANTES DE LA TOMA DE POSESIÓN, FOX DECLARÓ QUE GOBERNARÍA ÉL Y NO EL PAN. DE ESTE MODO, EL PARTIDO QUE LO LLEVÓ A LA PRESIDENCIA SE HA VISTO RELEGADO DE IMPORTANTES DECISIONES DE GOBIERNO. AL DEBILITAR A SU PRINCIPAL ALIADO POLÍTICO, FOX SE DEBILITÓ A SÍ MISMO.

EL PAN PARTICIPÓ DE MANERA MARGINAL EN LA CONFORMACIÓN DEL GABINETE Y EN VARIAS OCASIONES SE HA VISTO INCLUSO ENFRENTADO A POSICIONES ASUMIDAS POR EL PRESIDENTE.

SON PÚBLICAS LAS DIFERENCIAS QUE FOX HA TENIDO CON IMPORTANTES PANISTAS. EL CASO MÁS NOTORIO ES SU PLEITO CON DIEGO FERNÁNDEZ DE CEVALLOS.

EN ESTA LÓGICA, LOS ERRORES DE FOX HAN AFECTADO LA IMAGEN DEL PAN, FAVORECIENDO EL CRECIMIENTO DEL PRI EN DIVERSOS ESTADOS DE LA REPÚBLICA.

¡GRACIAS, SEÑOR PRESIDENTE!

CAPÍTULO 9. EL PRI DE FOX

EL PRI SALIÓ MUY GOLPEADO DE LAS ELECCIONES DEL 2000, PERO NO QUEDÓ LIQUIDADO. CONTABA AÚN CON LA MAYORÍA DE LAS GUBERNATURAS, CON UNA FUERZA IMPORTANTE EN EL CONGRESO, CON LÍDERES SINDICALES Y OPERADORES POLÍTICOS HÁBILES Y PRAGMÁTICOS... Y CON UN MONTÓN DE MAÑAS.

SI BIEN PERDIÓ LA PRESIDENCIA PORQUE LA GENTE ESTABA HARTA DE TRANSAS Y CORRUPCIÓN, NADA INDICA QUE EL PARTIDAZO PIENSE ENMENDAR EL RUMBO.

TRADICIONALMENTE EL PRESIDENTE DE LA REPÚBLICA ERA CONSIDERADO EL PRIMER PRIÍSTA DEL PAÍS Y DESIGNABA AL DIRIGENTE EN TURNO DEL PARTIDO. EN EL 2001 SE REALIZÓ UNA ELECCIÓN INTERNA PARA ELEGIR LA PRESIDENCIA NACIONAL DEL TRICOLOR Y EL PRI SE PARTIÓ EN DOS CORRIENTES: UNA BIEN TRANSA Y LA OTRA PEOR.

SE TRATA DE DOS TENDENCIAS POLÍTICAS ENCONTRADAS. CADA UNA ESTABA ENCABEZADA POR CONTENDIENTES DE PESO: POR UN LADO, BEATRIZ PAREDES (EX GOBERNADORA DE TLAXCALA); POR EL OTRO, ROBERTO MADRAZO Y ELBA ESTHER GORDILLO.

PAREDES REPRESENTABA AL PRI DE LOS VIEJOS DINOSAURIOS PRETECNÓCRATAS, MIENTRAS QUE LA ALIANZA MADRAZO-GORDILLO REPRESENTABA LA CORRIENTE MÁS PRAGMÁTICA Y CÍNICA DEL PRI Y SE SOSPECHA QUE CARLOS SALINAS ESTABA DETRÁS DE ÉSTOS.

ROBERTO MADRAZO PINTADO FUE ACUSADO DE DELITOS ELECTORALES GRAVES EN TABASCO, Y A PESAR DE QUE HABÍA TONELADAS DE PRUEBAS EN SU CONTRA, SALIÓ IMPUNE POR TECNICISMOS JURÍDICOS Y ARREGLOS CUPULARES.

POR SU PARTE, LA MAESTRA ELBA ESTHER FUE ACUSADA POR SU TUTOR, PROTECTOR Y EX LÍDER CHARRO CARLOS JONGUITUD DE ASESINAR AL LÍDER MAGISTERIAL MISAEL NÚÑEZ ACOSTA.

ESA ELECCIÓN INTERNA ESTUVO PLAGADA DE FRAUDES E IRREGULARIDADES Y TRIUNFÓ LA FÓRMULA DE ROBERTO MADRAZO Y GORDILLO, LO QUE LE ALLANÓ EL CAMINO A LA CANDIDATURA PRESIDENCIAL DEL 2006 A MADRAZO... Y A ELBA ESTHER.

A PESAR DE TODO, EN EL MEJOR VIEJO ESTILO PRIÍSTA, LOS CONTENDIENTES SE RECONCILIARON PÚBLICAMENTE Y PROCLAMARON LA UNIDAD DE SU PARTIDO.

ES ASÍ COMO ROBERTO MADRAZO SE CONVIRTIÓ EN EL LÍDER Y FIGURA MORAL INDISCUTIBLE DEL TRICOLOR Y PROMETIÓ UNA REFORMA PROFUNDA DEL PARTIDO.

¡¡ FUERA OPORTUNISTAS Y CACIQUES REGIONALES !!

MIENTRAS NO CORRA A LOS CÍNICOS, TODO ESTÁ BIEN.

A PESAR DE TODAS SUS PROMESAS DE ENMENDARSE, EL PRI SIGUE MANIOBRANDO PARA TAPAR LAS TRANSAS DE SUS AGREMIADOS, INCLUSO DE AQUELLOS CUYOS DELITOS ESTÁN AMPLIAMENTE DOCUMENTADOS, COMO ES EL CASO DEL LÍDER PETROLERO ROMERO DESCHAMPS QUE FUE QUIEN DESVIÓ RECURSOS DE PEMEX A LA CAMPAÑA DE LABASTIDA Y A SU CUENTA PERSONAL EN EL 2000.

A PESAR DE QUE MADRAZO Y GORDILLO SE HAN DESLINDADO PÚBLICAMENTE DE ROMERO DESCHAMPS, EL PRI HA HECHO TODO POR IMPEDIR QUE SE JUZGUE AL LÍDER PETROLERO.

ELBA ESTHER GORDILLO SE HA CONVERTIDO EN UNA DE LAS PRINCIPALES OPERADORAS POLÍTICAS DEL GRUPO FOXISTA Y ES CLARA SU CERCANÍA CON GENTE COMO JORGE CASTAÑEDA Y MARTA SAHAGÚN.

LA GORDILLO ES EL PUENTE PARA QUE NEGOCIEN EL PRI Y LA PRESIDENCIA.

AUNQUE MADRAZO CRITICA DURAMENTE A FOX EN PÚBLICO, AL PARECER LOS DOS NEGOCIAN DIVERSOS ASUNTOS. SÓLO ESO EXPLICA QUE SE HAYA DEJADO EN MANOS DE MADRAZO EL CONTROL DEL INSTITUTO ELECTORAL DE TABASCO.

ASÍ, PRONTO LOS VIEJOS OPERADORES MAÑOSOS DEL PRI SE VOLVIERON UN ELEMENTO IMPORTANTE EN EL PROYECTO POLÍTICO DE FOX.

CAPÍTULO 10. EL LIBRE MERCADO

A TRES AÑOS DEL CAMBIO, EL FONDO MONETARIO INTERNACIONAL (FMI), LA BOLSA DE VALORES DE WALL STREET, WASHINGTON Y LA BANCA MUNDIAL SEGUÍAN DICTANDO LA POLÍTICA ECONÓMICA DE CASI TODO EL PLANETA, A PESAR DEL REPUDIO QUE HAN GENERADO EN TODO EL MUNDO.

EN MÉXICO, LA DEUDA EXTERNA CONTINÚA SIENDO UN LASTRE PARA LA ECONOMÍA Y TIENE QUE SER RENEGOCIADA CONSTANTEMENTE. EL FMI HA APROVECHADO TODAS ESTAS NEGOCIACIONES PARA IMPONERLE AL PAÍS SUS POLÍTICAS DE RECORTES, PRIVATIZACIONES, DESREGULACIÓN DE CAPITALES, ETCÉTERA...

ADEMÁS, A PRINCIPIOS DEL 2000, EU ENTRÓ EN FRANCA RECESIÓN Y, COMO SUELE OCURRIR CON LOS GRANDES PROYECTOS IMPERIALES, LOS PRINCIPALES AFECTADOS SON LOS PAÍSES SATÉLITES COMO MÉXICO.

EL ESTANCAMIENTO EN ESTADOS UNIDOS PROVOCÓ UNA PARÁLISIS DEL PROYECTO GLOBAL Y POR LO TANTO DEL PROYECTO NEOLIBERAL FOXISTA.

EL PROYECTO ECONÓMICO FOXISTA ES IDÉNTICO AL DE DE LA MADRID, SALINAS Y ZEDILLO: PROMUEVE EL LIBRE COMERCIO, LAS PRIVATIZACIONES Y LE QUITA TODO OBSTÁCULO A LOS SEÑORES DEL DINERO.

TRAS LA FIRMA DEL TLC, MÉXICO ENTRÓ EN LA LÓGICA DE LA ECONOMÍA GLOBAL: SE ACABÓ LA ECONOMÍA NACIONAL. PERDIÓ SU VIEJA PLANTA PRODUCTIVA, Y CON ELLA, MILES DE EMPLEOS. TODO SE CAMBIÓ POR UN ESQUEMA DE MAQUILADORAS QUE SÓLO BUSCA EXPLOTAR LA MANO DE OBRA BARATA QUE OFRECE EL PAÍS.

EL PROBLEMA DE LA MAQUILA ES QUE, EN LA GLOBALIZACIÓN, LAS NACIONES POBRES NO TIENEN DEFENSA ALGUNA ANTE LOS INTERESES DE LAS MULTINACIONALES QUE IMPONEN SUS CONDICIONES: BAJOS SALARIOS, NULAS PRESTACIONES, RECORTES, ETCÉTERA.

ADEMÁS, EN ESTE ESQUEMA, UNA RECESIÓN COMO LA QUE SE DESENCADENÓ EN EL 2000 EN EU IMPLICA CIERRES DE FÁBRICAS EN MÉXICO Y PÉRDIDAS MASIVAS DE FUENTES DE TRABAJO.

¿QUÉ ES LO QUE MÁS EXTRAÑAS DE LAS ANTIGUAS MARCHAS DEL **DÍA DEL TRABAJO**...?

MI TRABAJO...

POR SI FUERA POCO, LA COMPETENCIA ES GLOBAL Y SI OTRO PAÍS OFRECE MATERIAS PRIMAS O MANO DE OBRA MÁS BARATA, LAS MAQUILADORAS SE VAN PARA ALLÁ. Y ESTO YA ESTÁ PASANDO. A PESAR DE LOS BAJOS SALARIOS, CIENTOS DE MAQUILADORAS QUE OPERABAN EN MÉXICO SE FUERON A LA CHINA. EN EL PRIMER TERCIO DEL SEXENIO FOXISTA, SE PERDIERON ENTRE 250 MIL Y 300 MIL PLAZAS EN EL SECTOR MAQUILADOR.

SEGÚN DATOS OFICIALES, A LA MITAD DEL SEXENIO EL DESEMPLEO ABIERTO LLEGÓ AL 3.17% Y LA CALIDAD DEL EMPLEO BAJÓ. CADA VEZ HAY MENOS EMPLEOS FORMALES Y CADA VEZ MÁS TRABAJOS EVENTUALES. EN TRES AÑOS DE FOXISMO PERDIERON SU EMPLEO FORMAL 570 MIL MEXICANOS. OTRAS FUENTES INDICAN QUE 62.7% DE LA POBLACIÓN ECONÓMICAMENTE ACTIVA TRABAJA EN EL SECTOR INFORMAL.

DESDE HACE SEIS AÑOS TRABAJO EN UN LUGAR DONDE NO TENGO DERECHO A JUBILACIÓN, SEGURO, VACACIONES, AGUINALDO, REPARTO DE UTILIDADES...

¿Y POR QUÉ NO TE SALES?

PORQUE PERDERÍA MI ANTIGÜEDAD.

A PESAR DE QUE LAS POLÍTICAS DE LIBRE COMERCIO AFECTAN A LOS MEXICANOS, EL GOBIERNO DE FOX HA SERVIDO COMO PUNTA DE LANZA DEL PLAN DE EU DE ESTABLECER UNA ZONA DE LIBRE COMERCIO EN LAS AMÉRICAS Y ADEMÁS PROMUEVE UNA FRANJA DE LIBRE COMERCIO EN EL SUR DE MÉXICO: EL PLAN PUEBLA PANAMÁ (PPP).

ESTE PLAN BUSCA CREAR EN LA ZONA DEL ISTMO DE TEHUANTEPEC UN CORREDOR COMERCIAL INTERNACIONAL, AUNQUE TENGA QUE PASAR POR ENCIMA DE LOS INTERESES DE LOS ACTUALES HABITANTES DEL ÁREA AFECTADA, DE SU CULTURA Y SUS TRADICIONES.

DURANTE LA PRIMERA MITAD DEL SEXENIO FOXISTA, ESTE PLAN DE LIBRE COMERCIO NO SE PUDO PONER EN MARCHA, ESENCIALMENTE POR LA RECESIÓN GLOBAL. EN CUANTO A LAS PRIVATIZACIONES, EL PROYECTO NEOLIBERAL DE FOX TAMBIÉN HA ENCONTRADO OBSTÁCULOS, PERO HA SEGUIDO ADELANTE EN FERROCARRILES Y OTROS RUBROS.

CAPÍTULO 11. LAS PRIVATIZACIONES

LAS PRIVATIZACIONES SON SIMPLEMENTE EL TRASLADO A MANOS PRIVADAS DE SECTORES DE LA ECONOMÍA QUE ERAN PROPIEDAD DEL ESTADO. MUCHOS DE ESTOS SECTORES ERAN DE LA NACIÓN POR SU CARÁCTER ESTRATÉGICO.

LAS PRIVATIZACIONES NEOLIBERALES CON FRECUENCIA AFECTAN LA ESTABILIDAD ECONÓMICA DE LAS NACIONES Y SU SOBERANÍA, Y VULNERAN DE MANERA DIRECTA LA VIDA DE MILES DE ASALARIADOS Y USUARIOS.

PARA PRIVATIZAR, LOS GOBIERNOS NEOLIBERALES SIGUEN SIEMPRE LA MISMA RECETA:
DEJAN QUE LAS EMPRESAS RENTABLES DEL ESTADO SE DETERIOREN; ANTE LAS QUEJAS
POR EL MAL SERVICIO, SUGIEREN PRIVATIZAR, LUEGO SANEAN LAS EMPRESAS Y LAS
VENDEN A BUEN PRECIO AL SECTOR PRIVADO QUE LAS EXPLOTA COMO UN NEGOCIO,
SIN IMPORTARLES GRAN COSA EL INTERÉS DEL USUARIO NI EL BIEN DE LA NACIÓN.

EN TÉRMINOS GENERALES, LAS PRIVATIZACIONES HAN FUNCIONADO COMO UNA
TRANSFERENCIA DE BIENES AL SECTOR PRIVADO EL CUAL CON FRECUENCIA DA UN PEOR
SERVICIO Y USA LAS CONCESIONES PARA HACER FRAUDES MILLONARIOS (VER
FOBAPROA, RESCATE CARRETERO, RESCATE AZUCARERO, ETCÉTERA...).

SALINAS Y ZEDILLO PRIVATIZARON LO QUE ERA FÁCILMENTE PRIVATIZABLE: BANCOS, TELÉFONOS, JUBILACIONES. A FOX SÓLO LE QUEDA PRIVATIZAR SECTORES QUE IMPLICAN SERIOS PROBLEMAS POLÍTICOS COMO PETRÓLEO, SALUD Y ELECTRICIDAD.

AUNQUE SIEMPRE LO HA NEGADO, EN ESTE SEXENIO EL GOBIERNO HA HECHO TODO LO QUE HA PODIDO PARA PRIVATIZAR LA ENERGÍA ELÉCTRICA, SECTOR CLAVE DE LA ECONOMÍA MEXICANA; SIN EMBARGO, SE HA TOPADO CON DIVERSOS PROBLEMAS.

EL PRINCIPAL OBSTÁCULO PARA LA PRIVATIZACIÓN DE LA LUZ ES SIN DUDA QUE EXISTE UNA GRAN RESISTENCIA POR PARTE DE LOS TRABAJADORES DEL SECTOR, QUE SABEN LO QUE IMPLICARÍA PARA LA NACIÓN QUE LA LUZ CAYERA EN MANOS PRIVADAS Y EN ESPECIAL EN MANOS DEL CAPITAL EXTRANJERO.

EL MOMENTO POLÍTICO NO ES EL MÁS PROPICIO, PUES, A PRINCIPIOS DEL SIGLO XXI, SE HA HECHO EVIDENTE EL FRACASO DE LOS PROYECTOS PRIVATIZADORES DE LUZ EN TODO EL MUNDO, PRINCIPALMENTE EN INGLATERRA, ARGENTINA Y CALIFORNIA.

ADEMÁS, EN ESTA ÉPOCA SE HIZO PÚBLICO EL ENORME FRAUDE QUE REALIZÓ EN EU ENRON, LA EMPRESA PRIVADA MÁS IMPORTANTE DEL RAMO Y PROMOTORA DE LA PRIVATIZACIÓN ELÉCTRICA MEXICANA.

SIN EMBARGO, EL GOBIERNO FOXISTA HA DADO UNA SERIE DE CONCESIONES A PARTICULARES PARA QUE ÉSTOS PUEDAN GENERAR ELECTRICIDAD, LO QUE ES UNA PRIVATIZACIÓN DE FACTO QUE VIOLA LAS LEYES VIGENTES.

A PESAR DE SUS PROMESAS DE CAMPAÑA, FOX HA PROMOVIDO LA PRIVATIZACIÓN DEL PETRÓLEO, SIN DUDA PRESIONADO POR LAS MULTINACIONALES Y WASHINGTON.

EL PETRÓLEO ES UN RECURSO NO RENOVABLE Y MUY PRECIADO A PRINCIPIOS DEL SIGLO XXI, EN ESPECIAL POR LOS EU, QUE HAN ACABADO PRÁCTICAMENTE CON SUS RESERVAS NATURALES.

DESDE LA DÉCADA DE LOS NOVENTA, EU ESTÁ PELEANDO POR ASEGURAR EL CONTROL DE TODAS LAS RESERVAS PETROLERAS DEL MUNDO Y NO HA DUDADO EN HACER GUERRAS PARA LOGRAR SU OBJETIVO.

¿CÓMO LES HAGO ENTENDER QUE LA SANGRE ES UN RECURSO RENOVABLE, MIENTRAS QUE EL PETRÓLEO NO?

EN MÉXICO, LA EXPROPIACIÓN PETROLERA REALIZADA POR CÁRDENAS EN LA DÉCADA DE LOS TREINTA HA SIDO SINÓNIMO DE SOBERANÍA Y ES UN TEMA DELICADO. TANTO QUE QUEDÓ FUERA DE LAS NEGOCIACIONES DEL TLC, A CAMBIO DE QUE TAMBIÉN SE EXCLUYERA DE LA AGENDA EL TEMA MIGRATORIO.

SIN EMBARGO, DEBIDO A LAS NEGOCIACIONES DE LA DEUDA EXTERNA, EN LA PRÁCTICA EL PETRÓLEO MEXICANO ESTÁ COMPROMETIDO DESDE HACE TIEMPO A LOS EU, QUE NECESITA DE TONELADAS Y TONELADAS DEL HIDROCARBURO.

PEMEX TIENE PROBLEMAS DE MANTENIMIENTO, PUES EL 95% DE SUS INGRESOS PASAN DIRECTAMENTE A LAS ARCAS DEL ESTADO; A PESAR DE ESO SIGUE SIENDO UNA EMPRESA MUY RENTABLE, AUNQUE FOX INSISTE EN ABRIRLA AL CAPITAL EXTRANJERO.

ADEMÁS, EL PETRÓLEO ES LA PRINCIPAL FUENTE DE INGRESOS DEL GOBIERNO Y EL PRINCIPAL SOSTÉN DE LA ECONOMÍA MEXICANA. ¿SEGÚN QUÉ LÓGICA A MÉXICO LE CONVENDRÍA DESHACERSE DE PEMEX? EMPERO, EN SU ORTODOXIA NEOLIBERAL, LOS GRANDES EMPRESARIOS, FOX Y EL PAN INSISTEN EN PRIVATIZAR LA PARAESTATAL PETROLERA.

PRUEBA DE ESTE AFÁN PRIVATIZADOR ES QUE EL PRESIDENTE NOMBRÓ COMO MIEMBROS DEL PRIMER CONSEJO DE ADMINISTRACIÓN DE PEMEX A VARIOS MEGAEMPRESARIOS DE LA INICIATIVA PRIVADA.

ANTE LA CAÍDA MUNDIAL DE RESERVAS PETROLERAS, EL GAS NATURAL SE HA CONVERTIDO EN UNA OPCIÓN ENERGÉTICA IMPORTANTE. FOX TAMBIÉN HACE TODO POR PRIVATIZAR ESTE RECURSO.

CAPÍTULO 12. LA DESREGULACIÓN

ESTE GOBIERNO SIGUE BUSCANDO CÓMO HACERLES LA VIDA FÁCIL A LOS DUEÑOS DEL DINERO Y PARA FAVORECERLOS PROMUEVE LA DESREGULACIÓN DE CAPITALES Y HACE REFORMAS FISCALES PARA RICOS.

LOS EMPRESARIOS NOS NEGAMOS A PAGARLE MÁS IMPUESTOS AL GOBIERNO.

SÍ, PORQUE NOS CONSTA QUE LO MALGASTA PAGANDO LAS COCHINADAS DEL FOBAPROA.

LA PROPUESTA DE FOX DE PONERLE UN 15% DE IMPUESTO AL VALOR AGREGADO (IVA) A ALIMENTOS Y MEDICINAS NO ES MÁS QUE UN NUEVO INTENTO DE SUBIRLE LOS IMPUESTOS A LOS POBRES Y BAJÁRSELOS A LOS RICOS.

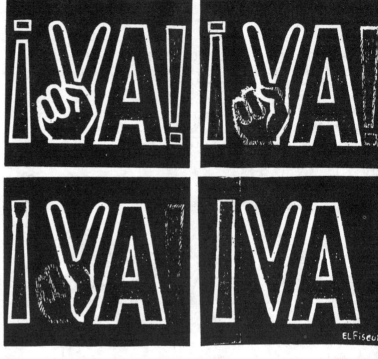

ESTA INICIATIVA NUNCA SE PUDO PONER EN PRÁCTICA, PUES SE TOPÓ CON LA OPOSICIÓN DE LA MAYORÍA EN LA CÁMARA DE DIPUTADOS, ASÍ COMO CON LA INDIGNACIÓN Y EL RECHAZO DE AMPLIOS SECTORES DE LA POBLACIÓN.

OTRO EJEMPLO ES EL DECRETAZO PRESIDENCIAL CON EL QUE FOX LE BAJÓ LOS IMPUESTOS A LOS MONOPOLIOS DE LA TELE. ESTA DECISIÓN FUE UNA SIMPLE CESIÓN DE TIEMPO DEL ESTADO A FAVOR DE EMPRESAS MEDIÁTICAS MULTIMILLONARIAS. OTRO CASO AÚN MÁS ESCANDALOSO ES QUE LA SECRETARÍA DE HACIENDA NO COBRÓ IMPUESTOS POR LA TRANSACCIÓN MULTIMILLONARIA EN LA QUE CITYBANK COMPRÓ BANAMEX. CON ESTO, EL BANQUERO Y CUATE DE FOX ROBERTO HERNÁNDEZ SE AHORRÓ CIENTOS DE MILLONES DE PESOS.

EN CAMBIO, LA POLÍTICA SALARIAL FOXISTA SIGUE CASTIGANDO A LOS TRABAJADORES. UN ESTUDIO DE LA UNAM SEÑALÓ QUE EN LOS TRES PRIMEROS AÑOS DEL SEXENIO LOS SALARIOS SE HABÍAN DETERIORADO 14.5%, CON LO QUE QUEDARON EN SU NIVEL MÁS BAJO DESDE 1995.

COMO PARTE DE SU PLAN DE DESREGULACIÓN DE CAPITALES, ESTE GOBIERNO PROMOVIÓ UNA REFORMA LABORAL QUE BUSCABA DEJAR QUE LAS FLUCTUACIONES DEL LIBRE MERCADO RIGIERAN EL SALARIO Y LAS PRESTACIONES DE LOS TRABAJADORES.

ESTA REFORMA SIGNIFICARÍA UN GRAN GOLPE PARA LOS ASALARIADOS QUE YA ESTÁN DE POR SÍ MUY GOLPEADOS.

POR SUERTE PARA EL PAÍS, EL CONGRESO NUNCA APROBÓ LAS INICIATIVAS DE REFORMA DE FOX, PUES SE OPONÍAN A ELLAS EL PRI Y EL PRD.

EN TIEMPOS NEOLIBERALES, LOS EMPRESARIOS TRANSAS SE HAN DADO VUELO, SE HAN ROBADO TODO LO QUE HAN PODIDO Y LA MAYORÍA DE LOS CRÍMENES DE CUELLO BLANCO HAN QUEDADO IMPUNES. ¿ES ESTO PARTE DE LA DESREGULACIÓN?

EL GOBIERNO DE FOX, LEJOS DE CASTIGAR A LOS EMPRESARIOS RESPONSABLES DEL MEGAFRAUDE DEL FOBAPROA-IPAB, PAGA PUNTUALMENTE MILLONES DE PESOS A LOS BANCOS, LO QUE SE HA CONVERTIDO EN UNA CARGA BRUTAL PARA LA NACIÓN.

DURANTE SU CAMPAÑA, FOX PROMETIÓ QUE CON ÉL, LA ECONOMÍA MEXICANA CRECERÍA 7% ANUAL. DEBIDO A LA RECESIÓN, A LA DEUDA INTERNA Y EXTERNA Y A LA PROPIA INEFICIENCIA DEL GOBIERNO, PRONTO SU SECRETARIO DE ECONOMÍA LUIS ERNESTO DERBEZ ANUNCIÓ QUE LA ECONOMÍA CRECERÍA SÓLO UN 2% ANUAL.

7%

2%

EN REALIDAD, DURANTE LOS PRIMEROS AÑOS DE LA GESTIÓN FOXISTA, LA ECONOMÍA QUEDÓ TOTALMENTE ESTANCADA, ES DECIR QUE CRECIÓ 0%.

LA ECONOMÍA DE MÉXICO ESTÁ MÁS **ESTABLE** QUE NUNCA.

NO CRECIÓ **NADA.**

117

A PESAR DE QUE ZEDILLO DEJÓ UN BLINDAJE ECONÓMICO SIN PRECEDENTES, PARA EVITAR LAS RECURRENTES CRISIS SEXENALES, EN EL 2001, EL SECRETARIO DE HACIENDA, FRANCISCO GIL DÍAZ, PIDIÓ UNA LÍNEA DE CRÉDITO DE $20 MIL MILLONES DE DÓLARES AL FMI, CON LO QUE CRECIÓ LA DEUDA EXTERNA DEL PAÍS.

DURANTE LOS PRIMEROS DOS AÑOS DEL FOXISMO, EL PESO ESTUVO SOBREVALUADO Y FINALMENTE, EN EL 2003, HUBO UNA DEVALUACIÓN.

COMO LA ECONOMÍA SE ESTANCÓ Y FOX NO PUDO PONER EN PRÁCTICA SUS REFORMAS EN LOS PRIMEROS TRES AÑOS DE SU GOBIERNO, LOS MISMOS EMPRESARIOS QUE LO APOYARON COMO SU CANDIDATO EMPEZARON A MOLESTARSE Y A HACERLE CRÍTICAS PÚBLICAS.

UUUY...Y TE FALTÓ DECIR LO MÁS GACHO: QUE ESTE GOBIERNO SÓLO TRABAJA PARA PINCHES EMPRESARIOS VORACES.

PARA LOS EMPRESARIOS, EL PROBLEMA ES QUE FOX ES UN OPERADOR INEFICIENTE, PERO PARA LA MAYORÍA DE LA POBLACIÓN EL PROBLEMA ES QUE SE INSISTE EN APLICAR UN PROYECTO ECONÓMICO NEOLIBERAL QUE ES INEFICIENTE Y AFECTA SU ECONOMÍA FAMILIAR.

CAPÍTULO 13. LOS POBRES TAMBIÉN LLORAN

SEGÚN DATOS DEL PROPIO GOBIERNO DE FOX, EN EL AÑO 2000, 59 MILLONES DE MEXICANOS VIVÍAN EN LA POBREZA Y POCO MÁS DE 24 MILLONES NO CUBRÍAN SUS NECESIDADES ALIMENTARIAS BÁSICAS. EN EL 2001, EL BANCO MUNDIAL PUBLICÓ QUE EN MÉXICO LA POBREZA HABÍA CRECIDO EN POCO TIEMPO DEL 40% AL 58%.

INVESTIGADORES DEL COLEGIO DE MÉXICO AFIRMAN QUE EN LOS PRIMEROS AÑOS DEL SEXENIO FOXISTA, ESTA CIFRA CRECIÓ (EN PARTE POR LA RECESIÓN MUNDIAL) Y PARA EL 2002, LA POBREZA EN MÉXICO ASCENDÍA A 84 MILLONES Y MEDIO DE PERSONAS.

SIN EMBARGO, POCO ANTES DE LAS ELECCIONES DEL 2003, FOX DECLARÓ QUE EL NÚMERO DE POBREZA ALIMENTARIA HABÍA DISMINUIDO EN TRES MILLONES, AUNQUE LA SECRETARIA DE DESARROLLO SOCIAL, JOSEFINA VÁZQUEZ MOTA, ACLARÓ QUE LAS CIFRAS DEL GOBIERNO MEXICANO "NO NECESARIAMENTE COINCIDÍAN CON LAS DE LA ONU".

EN REALIDAD NADA EXPLICARÍA ESTA SUPUESTA DISMINUCIÓN DE LA POBREZA EN NUESTRO PAÍS, PUES LA ECONOMÍA SIGUE EN RECESIÓN Y LA MAYORÍA DE LA POBLACIÓN EMPOBRECE CADA DÍA CON LAS POLÍTICAS NEOLIBERALES.

A LOS POBRES LO ÚNICO QUE FOX LES HA OFRECIDO ES UNA POLÍTICA ASISTENCIALISTA, DE BENEFICENCIA, CARITATIVA, PATERNALISTA Y QUE IGNORA LA VERDADERA SITUACIÓN DEL PUEBLO.

PERO ESO SÍ, LUEGO BUSCA CAPITALIZAR ESA AYUDA EN TÉRMINOS ELECTORALES.

ASÍ HA LANZADO PROGRAMAS COMO "OPORTUNIDADES", EL CUAL ES LA CONTINUACIÓN DEL PROYECTO "SOLIDARIDAD" DE SALINAS, QUE EL PAN TANTO CRITICÓ. LUEGO LANZÓ EL PLAN CHANGARRO, UNA ODA AL SUBEMPLEO. ESTE PLAN PARTE DE LA IDEA QUE TODOS, HASTA LOS MÁS POBRES, SOMOS EMPRESARIOS Y ESTÁ DIRIGIDO A LOS PEQUEÑOS PROPIETARIOS MISERABLES.

LUEGO LLEGÓ EL "PAQUETE ALCANCE", UN PROGRAMA QUE PRETENDÍA DARLE A LAS FAMILIAS MÁS POBRES DE ESTE PAÍS UNA AYUDA ALIMENTARIA DE 4 PESOS AL DÍA.

SIN EMBARGO, EL PROGRAMA FOXISTA DE AYUDA A LOS POBRES MÁS EXITOSO ES EL QUE TIENE POR NOMBRE "VAMOS MÉXICO", ENCABEZADO POR LA ESPOSA DEL PRESIDENTE. ESTE PROYECTO SE PLANTEA COMO UNA ORGANIZACIÓN NO GUBERNAMENTAL QUE, GRACIAS A QUE CUENTA CON TODOS LOS APOYOS DEL GOBIERNO, MONOPOLIZA BUENA PARTE DEL DINERO ANTES DESTINADO A DECENAS DE ONG'S DE TODO EL PAÍS. "VAMOS MÉXICO" ES UN PROGRAMA DE BENEFICENCIA QUE HA DADO MÁS PROPAGANDA QUE OBRAS Y QUE PARECE SERVIR DE PLATAFORMA POLÍTICA A LAS ASPIRACIONES PRESIDENCIALES DE LA PRIMERA DAMA, MARTA SAHAGÚN.

CON PERDÓN DE BOTTICELLI

CAPÍTULO 14. SALUD Y EDUCACIÓN

EN MATERIA DE SALUD, A PESAR DE QUE FOX PROMETIÓ NO AFECTAR EL PRESUPUESTO DE ESE SECTOR, EN EL 2001, LO RECORTÓ EN 3 MIL 685 MILLONES DE PESOS.

Y SI TE SIENTES ENGAÑADO PORQUE PROMETÍ NO TOCAR EL PRESUPUESTO DE SALUD Y AHORA LO RECORTO EN $3 MIL 685 MILLONES, AHÍ LUEGO ME DISCULPAS.

ADEMÁS, DADO QUE EL GOBIERNO PRETENDE PRIVATIZAR EL SECTOR, HA DEJADO QUE SE DETERIORE FINANCIERAMENTE EL SISTEMA DE SALUD PÚBLICA QUE DURANTE DÉCADAS FUE MODELO EN AMÉRICA LATINA.

¡PRIVATIZAR LA SALUD!

¿Y DEJARNOS LA ENFERMEDAD?

LA SITUACIÓN FINANCIERA DEL INSTITUTO MEXICANO DEL SEGURO SOCIAL (IMSS) ES CADA VEZ MÁS FRÁGIL. DEJAR QUE SE DETERIORE ASÍ LA INSTITUCIÓN ES UN PASO PREVIO A LA PRIVATIZACIÓN. LA DESAPARICIÓN DEL IMSS AGRAVARÍA CONSIDERABLEMENTE LA SITUACIÓN DE SALUD DE LA MAYORÍA DE LOS TRABAJADORES MEXICANOS.

EN PARTE, LA CRISIS FINANCIERA DEL IMSS SE DEBE A QUE SE LE QUITÓ EL RESPALDO QUE SIGNIFICABA EL SISTEMA DE JUBILACIONES. LA SITUACIÓN DE LOS TRABAJADORES RETIRADOS ES PARTICULARMENTE PENOSA, PUES RECIBEN PENSIONES DE HAMBRE. ESTO AL GOBIERNO PARECE NO IMPORTARLE, Y CUANDO HUBO UN SOBRANTE EN EL SISTEMA DE AHORRO PARA EL RETIRO (SAR), EL GOBIERNO TOMÓ ESA LANA ADUCIENDO QUE LOS BENEFICIARIOS YA HABÍAN MUERTO.

EN MATERIA DE EDUCACIÓN, UN REPORTE DE LA OCDE DEL 2003 DICE QUE, EN ESTE TERRENO, MÉXICO ESTÁ EN EL LUGAR 34 DE 41 PAÍSES QUE INVESTIGÓ. SIN EMBARGO, EL PRESIDENTE LLEGÓ A DECIR QUE ÉSTAS ERAN BUENAS NOTICIAS, CON LO QUE SACÓ CERO EN COMPRENSIÓN DE LECTURA.

COMO NUNCA LO HABÍA HECHO UN GOBIERNO MEXICANO, EL DE FOX ASUMIÓ UNA ACTITUD ANTIINTELECTUAL Y ARROGANTE: EL SECRETARIO DE HACIENDA DECLARÓ QUE LO ÚNICO QUE LEÍAN LOS MEXICANOS ES PORNOGRAFÍA, NO SIN ANTES PRESENTAR -EN MEDIO DE FUERTES CRÍTICAS- UNA LEY EN LA QUE PROMOVÍA GRAVAR CON IVA LOS LIBROS.

INCLUSO EL PRESIDENTE LLEGÓ A HACER UNA APOLOGÍA DEL ANALFABETISMO CUANDO LE DIJO A UNA SEÑORA POBRE QUE NO SABÍA LEER: "QUÉ BUENO, ASÍ VA A SER MÁS FELIZ" (POR NO LEER PERIÓDICOS).

EL SRIO. DE EDUCACIÓN VA A ENTREGAR CERTIFICADOS DE FELICIDAD A TODOS LOS ANALFABETAS DEL PAÍS.

A B C D E F G H I J
M N Ñ O P Q
S T U V W X Y Z

SEGÚN LA UNESCO, LA PRINCIPAL RAZÓN DEL REZAGO EDUCATIVO EN AMÉRICA LATINA ES LA DESIGUALDAD SOCIAL Y MÉXICO NO ESCAPA A ESTA OBSERVACIÓN.

EL FISGÓN.

CAPÍTULO 15. JUSTICIA

EL GOBIERNO DE FOX HA DEDICADO GRAN PARTE DE SUS RECURSOS DE PROCURACIÓN DE JUSTICIA A COMBATIR AL NARCOTRÁFICO Y HA LOGRADO DETENER A DIVERSOS CAPOS IMPORTANTES.

ESTE PAÍS NO VA A PROGRESAR MIENTRAS SIGA TRATANDO A LOS EMPRESARIOS DE ÉXITO COMO SI FUERAN DELINCUENTES.

ESFUERZOS POR DETENER AL NARCO

ELFISGÓN

ES CLARO QUE EL GOBIERNO LE DEDICA GRAN CANTIDAD DE RECURSOS AL COMBATE CONTRA EL NARCO PORQUE ESTA LUCHA ES PARTE IMPORTANTE DE LA AGENDA DE WASHINGTON. SIN EMBARGO, SERÁ IMPOSIBLE ACABAR CON EL TRÁFICO DE DROGAS EN MÉXICO MIENTRAS EU SIGA SIENDO EL PRINCIPAL CONSUMIDOR MUNDIAL.

DESDE HACE VARIOS SEXENIOS, LA GUERRA DE MÉXICO CONTRA EL NARCO ESTÁ PERDIDA. ACABAR CON EL IMPERIO DE UN CAPO ES DEJARLE EL MERCADO LIBRE A OTRO CAPO. LOS CÁRTELES DE LA DROGA SE REORGANIZAN Y MULTIPLICAN A UNA VELOCIDAD IMPRESIONANTE Y SU PODER CORRUPTOR ES ENORME.

PRUEBA DE LA CAPACIDAD CORRUPTORA DEL NARCO ES LA FUGA DEL PENAL DE ALTA SEGURIDAD DE PUENTE GRANDE DEL "CHAPO" GUZMÁN, ACUSADO DE NARCOTRÁFICO E IMPLICADO EN EL ASESINATO DEL CARDENAL POSADAS OCAMPO EN GUADALAJARA.

ESTA FUGA PUSO EN EVIDENCIA TODA LA CORRUPCIÓN DEL SISTEMA PENITENCIARIO MEXICANO, DONDE LOS PRESOS CON RECURSOS GOZAN DE GRANDES PRIVILEGIOS.

ÉSTOS SÍ SON SALARIOS DE CALIDAD...

El Chapo pagaba 20mil dólares a funciona... del Pena...

NO HAY AGENCIA, POLICÍA O EJÉRCITO EN EL MUNDO QUE PUEDA ESCAPAR A LAS AMENAZAS VIOLENTAS O SOBORNOS MONETARIOS DE ESTOS EMPRESARIOS DELINCUENTES. EN ESTE SEXENIO SE DESCUBRIÓ QUE EL NARCO TENÍA GENTE EN EL EJÉRCITO Y EN LA MISMA FISCALÍA ANTIDROGAS DE LA PGR.

LOS NARCOS DEBEN PAGAR POR SUS CRÍMENES.

Y NOSOTROS LES ESTAMOS COBRANDO.

EN OTROS TERRENOS, EN EL SEXENIO DE FOX, LA LUCHA CONTRA EL CRIMEN HA SUFRIDO DESCALABROS AÚN MAYORES Y NO HA SIDO MUY EXITOSA QUE DIGAMOS. EN CIUDAD JUÁREZ, CHIHUAHUA, CIENTOS DE MUJERES HAN SIDO ASESINADAS Y LA JUSTICIA NO APARECE POR NINGÚN LADO.

EL CASO DE LAS MUERTAS DE JUÁREZ HA SACUDIDO A MÉXICO Y AL MUNDO, PERO LA PGR Y SU TITULAR MACEDO DE LA CONCHA NO HACEN NADA POR RESOLVERLO.

LA SALIDA DEL PRI DEL GOBIERNO ABRIÓ LA POSIBILIDAD DE QUE POR FIN FUERAN CASTIGADOS LOS CRÍMENES DE ESTADO COMETIDOS DURANTE LOS SEXENIOS DE ECHEVERRÍA Y LÓPEZ PORTILLO. LA IZQUIERDA ESPERABA CASTIGO PARA LOS AUTORES DE LAS MATANZAS DEL 2 DE OCTUBRE Y EL 10 DE JUNIO, Y PARA LOS CRÍMENES DE LA GUERRA SUCIA.

SE ABRIERON INDAGATORIAS SOBRE ALGUNOS CRÍMENES DE LA GUERRA SUCIA Y SE LES APLICÓ UN CONSEJO DE GUERRA A LOS GENERALES QUIROZ Y ACOSTA CHAPARRO.

EL MEJOR **CONSEJO DE GUERRA** QUE LES PODEMOS DAR ES: BORREN TODAS LAS PRUEBAS...

SIN EMBARGO, EL EX PRESIDENTE LUIS ECHEVERRÍA, PRINCIPAL SOSPECHOSO DE SER AUTOR INTELECTUAL DE LA MATANZA DE TLATELOLCO Y DEL JUEVES DE CORPUS, SIGUE IMPUNE, CON EL APOYO DE SU PARTIDO Y TAN CÍNICO COMO SIEMPRE.

FINALMENTE, LAS PROMESAS DE JUSTICIA FUERON OTRA FRASE MÁS DE CAMPAÑA DE FOX, EQUIVALENTE A AQUELLA EN LA QUE PROMETIÓ ARREGLAR EL CONFLICTO DE CHIAPAS EN MENOS DE QUINCE MINUTOS.

CAPÍTULO 16. LA VIDA ES ETERNA EN QUINCE MINUTOS

DESDE SU APARICIÓN EN 1994, EL EZLN PUSO EN EL CENTRO DEL DEBATE NACIONAL EL PROBLEMA INDÍGENA. TRAS 500 AÑOS DE CIVILIZACIÓN OCCIDENTAL, LOS DESCENDIENTES DE LOS POBLADORES ORIGINALES DE ESTAS TIERRAS SIGUEN VIVIENDO EN LA MISERIA Y LA OPRESIÓN.

TRAS UNA LARGA NEGOCIACIÓN CON LA GENTE DE ZEDILLO, EL EZLN Y EL GOBIERNO FIRMARON LOS ACUERDOS DE SAN ANDRÉS LARRÁINZAR QUE BUSCAN PROMOVER UNA LEY INDÍGENA QUE CONSAGRE A NIVEL CONSTITUCIONAL LOS DERECHOS DE LOS INDIOS -TAMBIÉN CONOCIDA COMO LA INICIATIVA DE LA COMISIÓN DE CONCORDIA Y PACIFICACIÓN (COCOPA).

SIN EMBARGO, EL GOBIERNO PRIÍSTA ROMPIÓ SU PROMESA, INCUMPLIÓ LOS ACUERDOS Y PERSIGUIÓ A LOS ZAPATISTAS. EL PROBLEMA ES MUY COMPLEJO, PERO EN SU CAMPAÑA FOX DIJO QUE PODÍA ARREGLARLO EN QUINCE MINUTOS.

ANTES DE LA TOMA DE PROTESTA DE FOX, EL EZLN ROMPIÓ UN LARGO SILENCIO, TOMÓ LAS RIENDAS DEL ASUNTO Y PUSO TRES CONDICIONES PARA INICIAR EL DIÁLOGO: CUMPLIMIENTO DE LOS ACUERDOS DE SAN ANDRÉS, LA LIBERTAD DE LOS SUPUESTOS ZAPATISTAS PRESOS Y QUE EL EJÉRCITO SE RETIRARA DE SIETE POSICIONES.

POR SU PARTE, EN SU DISCURSO DE PROTESTA, FOX ANUNCIÓ EL RETIRO DE RETENES MILITARES EN LA ZONA ZAPATISTA. TODO APUNTABA A UNA SOLUCIÓN PRONTA DEL CONFLICTO.

LOS ZAPATISTAS DIJERON ESTAR DISPUESTOS A NEGOCIAR LA PAZ EN LA ZONA Y ANUNCIARON UNA MARCHA A LA CIUDAD DE MÉXICO PARA HABLAR EN EL CONGRESO Y CONVENCER A LOS DIPUTADOS DE LAS BONDADES DE LA LEY INDÍGENA.

¡ TODAVÍA NO LES DAMOS PERMISO DE MIRARNOS A LOS OJOS Y YA HASTA QUIEREN SUBIR A LA TRIBUNA DE LA CÁMARA !

LA CARAVANA ZAPATISTA PARTIÓ EL 24 DE FEBRERO DEL 2001 Y REALIZÓ UN LARGO RECORRIDO POR DIVERSOS ESTADOS DEL PAÍS. A LO LARGO DEL VIAJE LEVANTÓ REACCIONES ATRASADAS Y RACISTAS POR PARTE DE DIVERSOS PERSONAJES DE LA DERECHA PANISTA Y DEL AUTORITARISMO PRIÍSTA.

FOX TRATÓ POR TODOS LOS MEDIOS DE CAPITALIZAR LA MARCHA CON EL FIN DE HACERSE PUBLICIDAD A COSTA DE LOS ZAPATISTAS, PERO NO HACÍA NADA POR RESOLVER LOS PROBLEMAS DE FONDO.

LOS ZAPATISTAS ENTRARON EN EL ZÓCALO EL 11 DE MARZO. LA CIUDAD LES DIO UN RECIBIMIENTO MULTITUDINARIO Y EMOTIVO.

TODO MÉXICO PARECÍA APOYAR A LOS ZAPATISTAS. TODO MÉXICO MENOS EL PRI Y EL PAN, CUYOS REPRESENTANTES MÁS CONSERVADORES Y AUTORITARIOS HACEN TODO POR MINIMIZAR EL MOVIMIENTO.

MARCOS NO TIENE LA REPRESENTATIVIDAD DE LOS INDÍGENAS...

Y SI ALGUIEN SABE DE REPRESENTATIVIDAD SOMOS NOSOTROS, QUE SE LA DIMOS A SALINAS...

POR SU PARTE, EL GOBIERNO SIGUIÓ UNA TÁCTICA DE DESGASTE. FOX SE HIZO PUBLICIDAD, BUSCÓ LA FOTO CON MARCOS PERO DIO LARGAS Y NO RESOLVIÓ NADA.

¡JAO! HERMANOS INDIOS SER BIENVENIDOS.

EL 20 DE MARZO DE ESE AÑO, EL EZLN AMENAZÓ CON REGRESARSE Y ENTONCES EMPEZÓ UN FORCEJEO. MIENTRAS EL PRESIDENTE DECÍA QUE ESTABA DISPUESTO A RESOLVERLO TODO, EL PRI Y EL PAN SE OPONÍAN INCLUSO A QUE EL EZLN HABLARA EN EL CONGRESO.

SE HIZO PÚBLICO UN SUPUESTO DIFERENDO ENTRE FOX Y LOS LÍDERES DE SU PARTIDO, EN CONCRETO CON DIEGO FERNÁNDEZ DE CEVALLOS.

FINALMENTE EL PRI SE SUMÓ A LA INICIATIVA DE QUE HABLARA EL EZLN EN LA CÁMARA, ENTONCES EL PARTIDO DEL PRESIDENTE BOICOTEÓ EL EVENTO Y LE ORDENÓ A SUS LEGISLADORES NO ACUDIR AL RECINTO.

PERO EL 29 DE MARZO HABLÓ LA COMANDANTE ESTHER DEL EZLN Y, TRAS SU DISCURSO, AL PAN Y AL PRI NO LES QUEDÓ OTRA QUE ACEPTAR DISCUTIR LA LEY INDÍGENA EN LAS CÁMARAS.

DURANTE MESES, LOS PARTIDOS DISCUTIERON LA LEY INDÍGENA. LOS PRINCIPALES REPRESENTANTES DEL PRI Y EL PAN, BARTLETT Y DIEGO PROPUSIERON MODIFICACIONES SUSTANCIALES AL TEXTO DE LA COCOPA.

SÍ LA LEY INDÍGENA ESTÁ MUY BIEN...

YA EL ÚNICO PROBLEMA SON LOS 9# INDIOS.

AL FINAL, EN ABRIL, EN EL SENADO, TODOS LOS PARTIDOS APROBARON UNA LEY INDÍGENA MUY MODIFICADA Y QUE ESTÁ MUY LEJOS DE LA QUE SURGIÓ DE LOS ACUERDOS DE SAN ANDRÉS.

YA RECONOCIMOS QUE EXISTES... ¿QUÉ MÁS QUIERES...?

NUEVA LEY INDÍGENA

142

EN ESPECIAL EL VOTO DEL PRD FUE UNA VERGÜENZA HISTÓRICA DE LA IZQUIERDA PARTIDISTA Y UN ACTO DE TRAICIÓN A LAS CAUSAS QUE EL PRD DICE DEFENDER.

A PESAR DE QUE JESÚS ORTEGA Y OTROS SENADORES PERREDISTAS QUE APROBARON ESA LEY DESPUÉS ACEPTARON SU ERROR, ESE VOTO MARCÓ UNA RUPTURA DE LAS DOS FUERZAS DE IZQUIERDA MÁS IMPORTANTES DE MÉXICO Y TERMINÓ POR ENTERRAR LA INICIATIVA DE PAZ INDÍGENA.

143

EN RESUMEN, A PESAR DE QUE FOX PROMETIÓ RESOLVER EL CONFLICTO EN 15 MINUTOS, LO ÚNICO QUE HIZO FUE DECIRSE AMIGO DE MARCOS, PRESENTAR LA INICIATIVA DE LA COCOPA AL CONGRESO Y NADA MÁS: NO HABLÓ CON SU PARTIDO, NO BUSCÓ ACUERDOS, NO LA DEFENDIÓ...

INCLUSO LLEGÓ A DECIR QUE EL VIEJO PROBLEMA DE CHIAPAS YA NO EXISTÍA.

CAPÍTULO 17. LOS ESPECTROS DE LA IZQUIERDA

SIN DUDA, EL VOTO DE LOS SENADORES PERREDISTAS A FAVOR DE LA LEY CEVALLOS-BARTLETT FUE MOTIVO DE DESPRESTIGIO -UNO MÁS- PARA EL PARTIDO DE LA REVOLUCIÓN DEMOCRÁTICA (PRD), CUYA BUROCRACIA PARECE EMPEÑADA EN DESACREDITARLO.

LA NOMENKLATURA PERREDISTA HIZO DEL FRAUDE ELECTORAL EN SUS ELECCIONES INTERNAS UNA PRÁCTICA COMÚN Y DE LA LUCHA POR LAS PLURINOMINALES Y LOS PUESTOS BUROCRÁTICAS SU RAZÓN DE SER. ABANDONARON LA MILITANCIA Y LA DISCUSIÓN TEÓRICA Y PROGRAMÁTICA.

EN LAS ELECCIONES INTERNAS DEL 2001, LA EX JEFA DE GOBIERNO DEL DF, ROSARIO ROBLES, ERA VISTA COMO LA OPCIÓN RENOVADORA, ANTIBUROCRÁTICA, PERO PRONTO TUVO QUE NEGOCIAR CON LAS MAFIAS DEL PRD Y ADOPTÓ UNA POLÍTICA PRAGMÁTICA EN EXTREMO. INCLUSO EN SU GESTIÓN, EL PRD POSTULÓ COMO CANDIDATOS A PRIÍSTAS Y EX SALINISTAS, COMO MANUEL CAMACHO SOLÍS, SOCORRO DÍAZ Y ELÍAS DIP.

LA VOTACIÓN NACIONAL DE ESE PARTIDO ES INVERSAMENTE PROPORCIONAL A SU DESPRESTIGIO.

SI EL PRD NO RESCATA A LA GENTE CAPAZ Y HONESTA (LO QUE HA HECHO EN MUY POCOS LUGARES), SI NO GOBIERNA PARA LAS MAYORÍAS (LO QUE HA HECHO EN POCAS ENTIDADES), PERO SOBRE TODO, SI NO ESCUCHA LOS RECLAMOS POPULARES Y SI NO REGRESA A LA MILITANCIA DE BASE, ESA OPCIÓN POLÍTICA ACABARÁ POR DESAPARECER.

CÓMO VES MANUEL ¿SE ANIMARÁ SALINAS A ENTRARLE A UNA CANDIDATURA DEL PRD?

POR LO PRONTO, EL DETERIORO DEL PRD HA DEJADO UN VACÍO POLÍTICO SERIO. AL FINAL DE LA MARCHA INDÍGENA DEL 2001, MARCOS ADVIRTIÓ QUE SI EL GOBIERNO NO NEGOCIABA CON LOS ZAPATISTAS, DESPUÉS VENDRÍAN SECTORES MÁS DUROS E INTRANSIGENTES, Y ASÍ HA SIDO.

FAVOR DE NO RECARGARSE

DESDE LOS PRIMEROS DÍAS DE SU GOBIERNO, FOX SE PROPUSO REALIZAR UN AEROPUERTO INTERNACIONAL PARA LA CIUDAD DE MÉXICO Y SE PLANTEÓ QUE ÉSTE DEBERÍA SER CONSTRUIDO EN SAN SALVADOR ATENCO, ESTADO DE MÉXICO.

VARIAS VOCES SE OPUSIERON A QUE EL AEROPUERTO FUERA CONSTRUIDO ALLÍ: AMBIENTALISTAS, ECOLOGISTAS. EL GOBIERNO HIZO MUCHOS ESTUDIOS DE TODO TIPO, PERO SE OLVIDÓ DE UN PEQUEÑO DETALLE: LA GENTE, LOS CIUDADANOS DE ATENCO A QUIENES NADIE LES HABÍA PEDIDO SU OPINIÓN.

EL GOBIERNO HIZO UN DECRETO EXPROPIATORIO Y PLANTEÓ COMPRARLE SUS TIERRAS A LOS CAMPESINOS POR UNA CANTIDAD IRRISORIA, LO QUE ATIZÓ LOS ÁNIMOS DE LOS ATENQUENSES.

LOS CAMPESINOS DE ATENCO RADICALIZARON SU DISCURSO Y SUS FORMAS DE LUCHA: SACARON LOS MACHETES Y LOS HICIERON UN SÍMBOLO DE SU MOVIMIENTO. HABÍA SEÑALES INEQUÍVOCAS DE QUE EL MOVIMIENTO SE PODÍA DESBORDAR.

EL GOBIERNO INSISTIÓ EN SU PROYECTO DE CONSTRUIR EL AEROPUERTO Y TRATÓ DE DIVIDIR A LA COMUNIDAD. SUBIÓ LA OFERTA INICIAL, OFRECIÓ TRABAJO A LOS AFECTADOS E HIZO UNA CAMPAÑA EN LOS MEDIOS DONDE ACUSABA A LOS INCONFORMES DE ATENTAR CONTRA EL PROGRESO DEL PAÍS.

PRONTO EL MOVIMIENTO ATENQUENSE ENTRÓ EN FRANCA REBELIÓN Y SE RADICALIZÓ AÚN MÁS. POR SU PARTE, EL OBISPO DE ECATEPEC, ONÉSIMO ZEPEDA, DECLARÓ QUE EL AEROPUERTO DEBÍA CONSTRUIRSE ALLÍ, ASÍ HUBIERA 500 MUERTOS.

INCLUSO SE LLEGÓ A LA VIOLENCIA Y HUBO HECHOS DE SANGRE. UN POBLADOR DE ATENCO MURIÓ EN UN ENFRENTAMIENTO CON FUERZAS DEL ESTADO DE MÉXICO. A FINAL DE CUENTAS, EL GOBIERNO TUVO QUE RECULAR Y ANUNCIÓ QUE EL AEROPUERTO NO SERÍA CONSTRUIDO EN ATENCO. ASÍ, POR TORPEZA POLÍTICA E INSENSIBILIDAD SOCIAL, SE VINO ABAJO UNO DE LOS PROYECTOS MÁS IMPORTANTES DEL SEXENIO. POR OTRO LADO, UNA PARTE DEL MOVIMIENTO DE ATENCO CAYÓ EN MANOS DE SECTORES RADICALES, ATRASADOS Y VIOLENTOS.

ATENCO ES UN AVISO DE QUE EL CAMPO MEXICANO ESTÁ ESTALLANDO.

CAPÍTULO 18. ¡EL CAMPO NO AGUANTA MÁS!

DURANTE SU CAMPAÑA VICENTE FOX CULTIVÓ LA IMAGEN DE QUE ERA UN HOMBRE DEL CAMPO, AMIGO DEL CAMPESINO Y CONSCIENTE DE LOS PROBLEMAS DEL AGRO MEXICANO. SIN EMBARGO, EN UNA OCASIÓN DECLARÓ QUE LO QUE QUIEREN TODOS LOS CAMPESINOS NO ES DEFENDER SU TIERRA, SINO ÚNICAMENTE UN "VOCHO, UNA TELE Y UN CHANGARRO".

EN REALIDAD EL PROBLEMA DEL CAMPO MEXICANO ES MÁS COMPLEJO QUE ESTA VISIÓN CLASISTA Y EMPRESARIAL EXPRESADA POR FOX. UN PAÍS QUE PRODUCE LO QUE COME NO CORRE TANTOS RIESGOS DE HAMBRUNAS, Y ENFRENTAR ESTE ASUNTO ES UN PROBLEMA ESTRATÉGICO, DE SUPERVIVENCIA Y SOBERANÍA NACIONAL. ES POR ESO QUE, A PESAR DE QUE EN TODO EL MUNDO CULTIVAR LA TIERRA ES UNA ACTIVIDAD RIESGOSA (HAY PLAGAS, SEQUÍAS, INUNDACIONES, ETC.), EN CASI TODOS LOS PAÍSES SE SUBSIDIA LA ACTIVIDAD AGRÍCOLA.

POR DÉCADAS, LOS GOBIERNOS DE LA REVOLUCIÓN LE DIERON AL CAMPESINO CIERTA COBERTURA A TRAVÉS DE LA CONASUPO, LOS PRECIOS DE GARANTÍA, ETCÉTERA. PERO LA MODERNIZACIÓN NEOLIBERAL DEL CAMPO MEXICANO ACABÓ CON ESAS GARANTÍAS Y DE PASO CON LA AGRICULTURA MEXICANA.

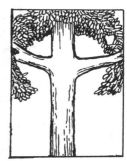

EN LA ÚLTIMA DÉCADA, LA PUESTA EN PRÁCTICA DEL TRATADO DE LIBRE COMERCIO (TLC) AFECTÓ AL CAMPO MEXICANO HASTA CONVERTIRLO EN UNA ZONA DE DESASTRE, PUES LOS PRODUCTOS MEXICANOS NUNCA PUDIERON COMPETIR CON LA MUY PODEROSA Y MUY SUBSIDIADA INDUSTRIA ALIMENTARIA YANQUI.

153

PERO ADEMÁS, TAL Y COMO SE ACORDÓ EN EL TLC, EL PRIMERO DE ENERO DEL 2003 SE INICIÓ LA APERTURA AGRÍCOLA ENTRE MÉXICO Y LOS ESTADOS UNIDOS, LO QUE SIGNIFICABA EL FIN DE LA AGRICULTURA NACIONAL.

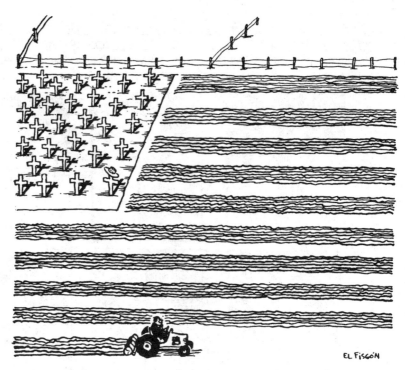

EL FISGÓN

EN ESTA NUEVA FASE DEL TLC INCLUSO CORRERÍAN EL RIESGO DE DESAPARECER SECTORES COMO LA GANADERÍA, CUYOS MÁS PROMINENTES EXPONENTES APOYARON LA FIRMA DEL TRATADO EN TIEMPOS DE SALINAS.

EL FISGÓN

ANTE LA INMINENTE CATÁSTROFE, FOX Y SU SECRETARIO DE AGRICULTURA, JAVIER USABIAGA, SE LIMITARON A ECHARLE PORRAS A LOS CAMPESINOS MEXICANOS Y A RECOMENDARLES QUE ENFRENTARAN CON VALOR EL RETO QUE IMPLICABA LA APERTURA.

ANTE LA INMINENTE CATÁSTROFE Y LA INACTIVIDAD DEL GOBIERNO, CUNDIÓ EL DESCONTENTO ENTRE LOS CAMPESINOS, QUE ORGANIZARON MARCHAS Y PROTESTAS EN TODO EL PAÍS CONTRA FOX Y USABIAGA. SURGIERON ORGANIZACIONES COMO 'EL CAMPO NO AGUANTA MÁS'.

HUBO MARCHAS, MÍTINES, HUELGAS DE HAMBRE (INCLUSO HUBO UNA TOMA VIOLENTA DEL PALACIO DE SAN LÁZARO). HASTA LOS VIEJOS ORGANISMOS PRIÍSTAS PIDIERON SE DEROGARA EL CAPÍTULO AGRÍCOLA DEL TLC.

¿PARA ESO QUIEREN ASEGURAR SU PRODUCCIÓN ALIMENTARIA...? ¿PARA LUEGO NO QUERER TRAGAR...?

EL GOBIERNO DIO LARGAS AL MOVIMIENTO Y FOX LLEGÓ A DECLARAR QUE EL ACAPARADOR USABIAGA ERA EL MEJOR SECRETARIO DE AGRICULTURA DE LA HISTORIA DE MÉXICO.

ESTE ES EL MEJOR SECRETARIO DE AGRICULTURA QUE HA TENIDO MÉXICO... SE LOS DIGO YO, QUE SOY EL MEJOR PRESIDENTE DEL PAÍS MÁS RICO DEL PLANETA...

ANTE LA PRESIÓN POPULAR, EL GOBIERNO PLANTEÓ UNA NEGOCIACIÓN Y FINALMENTE FIRMÓ CON ALGUNAS ORGANIZACIONES CAMPESINAS EL 'ACUERDO PARA EL CAMPO' QUE, MÁS QUE UN COMPROMISO REAL, PARECÍA UN CATÁLOGO DE BUENAS INTENCIONES.

¿CÓMO QUE SON PURAS BUENAS INTENCIONES? ¡SI ESTÁ LLENO DE MALA FE!

ACUERDO NACIONAL PARA EL CAMPO

SIN EMBARGO, EL PROBLEMA DEL CAMPO CONTINÚA Y AMENAZA CON CONVERTIRSE EN UN GRAN POLVORÍN SOCIAL. EL CAMPESINO MEXICANO ESTÁ EN LA RUINA, TANTO QUE EL PRINCIPAL PRODUCTO DE EXPORTACIÓN DEL CAMPO MEXICANO SON...LOS CAMPESINOS.

CAPÍTULO 19. ...LOS MIGRANTES TAMPOCO

AL PARECER, PARA FOX, LA GRAN SOLUCIÓN AL PROBLEMA DE LA POBREZA EN MÉXICO Y DEL CAMPO MEXICANO ES LA MIGRACIÓN.

ES INJUSTO TRATAR A LOS MIGRANTES COMO PERSONAS DE SEGUNDA, CUANDO SE TRATA DE MERCANCÍA DEL LIBRE MERCADO...

AL PRINCIPIO DE SU GOBIERNO NOMBRÓ A UN ENCARGADO DE ATENCIÓN A ASUNTOS MEXICANOS EN EL EXTRANJERO Y LUEGO TRATÓ DE NEGOCIAR CON WASHINGTON UN ACUERDO MIGRATORIO.

EN REALIDAD ES ABERRANTE, AUN DENTRO DE LA LÓGICA NEOLIBERAL, QUE EN LAS NEGOCIACIONES DEL TRATADO DE LIBRE COMERCIO SE HAYA EXCLUIDO EL TEMA MIGRATORIO. ESTE INTENTO DE NEGOCIARLO ES TAL VEZ UNO DE LOS POCOS ACIERTOS DEL GOBIERNO FOXISTA.

SIN EMBARGO, DEBIDO A LOS ATENTADOS DEL 11 DE SEPTIEMBRE DE 2001 EN EU, EN MEDIO DE LA PARANOIA DEL TERRORISMO Y EL RACISMO DE LOS SECTORES CONSERVADORES, EL GOBIERNO DE BUSH JR. CONGELÓ LAS NEGOCIACIONES SOBRE EL ACUERDO MIGRATORIO, ESTO A PESAR DE QUE LOS TRABAJADORES ILEGALES SON INDISPENSABLES PARA LA ECONOMÍA DE EU.

A PESAR DE QUE EL CANCILLER DE FOX, JORGE CASTAÑEDA, BUSCÓ, SEGÚN SUS PROPIAS PALABRAS, "THE WHOLE ENCHILADA" EN EL ACUERDO MIGRATORIO, ÉSTE SE VINO ABAJO, SUMÁNDOSE A LA LISTA DE PROMESAS INCUMPLIDAS DEL GOBIERNO DE FOX, AL DESENCANTO GENERALIZADO EN LA POBLACIÓN Y A LA DESESPERACIÓN DE LOS MIGRANTES.

MIENTRAS TANTO, CONTINÚA EL DRAMA DE LOS TRABAJADORES ILEGALES EN EU. CASI TODOS LOS DÍAS HAY NOTICIAS DE ASESINATOS Y MUERTES TRÁGICAS DE MIGRANTES EN LA FRONTERA SUR DE EU.

INCLUSO SE HAN DADO CASOS DRAMÁTICOS COMO LA MUERTE POR ASFIXIA DE 14 INDOCUMENTADOS QUE FUERON ABANDONADOS EN EL DESIERTO EN UN CAMIÓN CERRADO, EXPUESTOS A TEMPERATURAS DE MÁS DE 40 GRADOS.

CAPÍTULO 20. EL IMPERIO Y SUS SÚBDITOS.

NO SOLAMENTE EN EL TEMA MIGRATORIO EU HA IMPUESTO SU AGENDA Y SUS CONDICIONES AL GOBIERNO DE FOX. LO HA HECHO EN TODOS LOS TERRENOS.

ES INNEGABLE QUE A PRINCIPIOS DEL SIGLO XXI, ESTADOS UNIDOS ES LA GRAN POTENCIA MUNDIAL; ADEMÁS ES UN HECHO QUE FOX LLEGÓ A CREER QUE GEORGE BUSH ES SU AMIGO PERSONAL Y ESTABA CONVENCIDO DE LAS BONDADES DEL PROYECTO GLOBALIZADOR NEOLIBERAL.

PERO EN REALIDAD LA GLOBALIZACIÓN DE LOS GRANDES CAPITALES RESULTÓ SER UNA
FORMA SALVAJE DE COLONIALISMO ECONÓMICO IMPULSADO POR EL PRESIDENTE
GEORGE BUSH JR. PARA FAVORECER A SUS MULTINACIONALES. UN PROYECTO CRUEL Y
VIOLENTO SÓLO COMPARABLE CON EL IMPERIO ROMANO O EL EXPANSIONISMO
FASCISTA.

EL PODER ECONÓMICO Y MILITAR DE ESTADOS UNIDOS ES TAN GRANDE QUE HA ACABADO POR IMPONER SU AGENDA EN TODO EL PLANETA. SIN EMBARGO, HA ENCONTRADO MAYOR O MENOR RESISTENCIA EN DIVERSOS PAÍSES. CON EL CANCILLER CASTAÑEDA, NO ENCONTRÓ NINGUNA.

COMO NUNCA, EN ESTE SEXENIO LA AGENDA INTERNACIONAL DE MÉXICO SE SOMETIÓ A LA DE WASHINGTON. CASTAÑEDA DIO POR TERMINADA LA DOCTRINA ESTRADA Y SUGIRIÓ QUE SE REVISARAN CONCEPTOS "ANTICUADOS" COMO EL DE "SOBERANÍA".

CON LA AYUDA DE CASTAÑEDA, MÉXICO ESTUVO A PUNTO DE ROMPER RELACIONES CON CUBA. SI BIEN FIDEL CASTRO ES INDEFENDIBLE, EL CANCILLER MEXICANO, EN VEZ DE FIJAR UNA AGENDA PROPIA HACIA LA ISLA, SIGUIÓ LOS LINEAMIENTOS DE WASHINGTON.

EL COLMO FUE QUE EN UNA CUMBRE INTERNACIONAL DE MONTERREY, EL PROPIO PRESIDENTE FOX LE PIDIÓ A CASTRO QUE COMIERA Y SE FUERA PARA NO MOLESTAR A BUSH. DEFINITIVAMENTE, EL GOBIERNO MEXICANO LE ESTABA ENVIANDO NUEVAS SEÑALES AL CUBANO.

ESTO LO HIZO PÚBLICO EL PROPIO CASTRO CUANDO REVELÓ LA GRABACIÓN DE LA CONVERSACIÓN TELEFÓNICA SOSTENIDA ENTRE ÉL Y FOX, CON LO QUE QUEDARON AL DESCUBIERTO TANTO LAS MENTIRAS Y EL SERVILISMO DE FOX COMO LOS MÉTODOS POLICIACOS INACEPTABLES DE FIDEL.

TRAS EL 11 DE SEPTIEMBRE, ESTADOS UNIDOS RESPONSABILIZÓ -SIN PRUEBAS- AL GOBIERNO TALIBÁN DE AFGANISTÁN DE LOS ATENTADOS TERRORISTAS E INICIÓ LOS PREPARATIVOS PARA INVADIR ESE PAÍS. CASTAÑEDA SE APRESURÓ A DECIR QUE ESA GUERRA ERA DE MÉXICO.

CASTAÑEDA, UNO DE LOS PRINCIPALES PROMOTORES DEL VOTO ÚTIL, VENÍA DE LA IZQUIERDA, PERO EN SU GESTIÓN AL FRENTE DE LA SRE SE VIO SUMISO ANTE EU. INCLUSO SE DIJO QUE PRETENDÍA LLEGAR A LA PRESIDENCIA DE MÉXICO GRACIAS AL APOYO DE WASHINGTON Y LOS GRANDES CAPITALES.

CASTAÑEDA FUE SOBERBIO CON LA PRENSA NACIONAL Y SUS SUEÑOS DE GRANDEZA CAUSARON SERIOS PROBLEMAS. ÉL PROMOVIÓ LA ENTRADA DE MÉXICO AL CONSEJO DE SEGURIDAD DE LA ONU, LO QUE DURANTE LA GUERRA DE IRAK METIÓ A FOX EN UN BRETE. DESPUÉS DE TANTOS DESATINOS, CASTAÑEDA TUVO QUE RENUNCIAR.

CASTAÑEDA FUE REEMPLAZADO POR EL HASTA ENTONCES SECRETARIO DE ECONOMÍA, LUIS ERNESTO DERBEZ, UN ECONOMISTA CON NULA EXPERIENCIA EN POLÍTICA EXTERIOR.

CUANDO WASHINGTON DECIDIÓ INVADIR IRAK, FOX SE ENCONTRÓ ANTE UN DILEMA: APOYAR LA GUERRA ERA SUSCRIBIR UNA MATANZA, OPONERSE AL SENTIR DE LA MAYORÍA DE LOS MEXICANOS Y LEGITIMAR CUALQUIER FUTURA INVASIÓN DE EU. IR CONTRA LA GUERRA ERA CONTRADECIR AL SOCIO Y AMIGO GEORGE BUSH. FRENTE A ESTA DISYUNTIVA, FOX SE OPERÓ DE LA COLUMNA...

COMO EL GOBIERNO DE FOX NO APOYÓ LA INVASIÓN Y DESPUÉS HASTA LA CONDENÓ, LAS RELACIONES CON BUSH SE ENFRIARON. PARA CONGRACIARSE CON ÉL, DERBEZ DECLARÓ QUE SU PRIORIDAD NO ERA EL ACUERDO MIGRATORIO, SINO LA MISMA DE WASHINGTON: LA LUCHA CONTRA EL TERRORISMO INTERNACIONAL.

AL ASUMIR COMO PROPIA LA AGENDA DE OTRO PAÍS, MÉXICO PERDIÓ AÚN MÁS SOBERANÍA.

CAPÍTULO 21. LA CHISPA DEL PRESIDENTE

COMO FOX NO PODÍA HACER MUCHO YA QUE ESTABA ACOTADO POR EU, EL PRI, LA RECESIÓN Y LA REALIDAD NACIONAL, EN SU SEXENIO ADQUIRIÓ MUCHA IMPORTANCIA LA PUBLICIDAD Y LA IMAGEN DEL MANDATARIO.
EL PRESIDENTE SE DEDICÓ A GOBERNAR PARA EL RATING MÁS QUE PARA LOS MEXICANOS.

EL CANAL DE LAS ESTRELLAS...

EL FISGÓN

EN ESTE SEXENIO LOS ENCUESTÓLOGOS ASUMIERON UN PAPEL IMPORTANTE. MUCHAS DECISIONES DE GOBIERNO SE TOMARON CON BASE EN LOS NIVELES DE AUDIENCIA Y PARA CUIDAR LA POPULARIDAD DEL PRIMER MANDATARIO.

¿Y CÓMO LE VA A FOX EN LAS ENCUESTAS?

PUES NO TAN MAL... YA ALCANZÓ A CHABELO, AUNQUE SIGUE ABAJO DEL CHAVO DEL OCHO.

EL FISGÓN

COMO PARTE DE ESTE JUEGO MEDIÁTICO, VARIOS ASUNTOS DE LA AGENDA PRESIDENCIAL SE CUBRIERON EN NOTAS DE SOCIALES Y REVISTAS DEL CORAZÓN. LA REVISTA 'HOLA' PUBLICÓ REPORTAJES SOBRE LOS PINOS Y LA REVISTA 'PEOPLE' NOMBRÓ A FOX UNA DE LAS 25 BELLEZAS LATINAS DEL 2001.

NO ME INTERESA LA POPULARIDAD... YO SÓLO QUIERO SERVIR Y REPRESENTAR A MI PAÍS...

SIN EMBARGO, LA PRENSA SERIA DEL PAÍS SEÑALÓ LAS INOCULTABLES TORPEZAS, MENTIRAS Y TONTERÍAS DE ESTE GOBIERNO. AL PRINCIPIO, FOX HIZO CASO OMISO DE LOS CUESTIONAMIENTOS.
LUEGO ARREMETIÓ CONTRA LOS PERIODISTAS CRÍTICOS A QUIENES TRATÓ DE DESCALIFICAR CON BASE EN INSULTOS Y EXABRUPTOS. LOS HA LLAMADO "CONTRERAS" Y DECLARÓ QUE SON UNOS "PERROS QUE LADRAN" ANTE EL AVANCE DEL PAÍS.

PARA REFORZAR SU IMAGEN MEDIÁTICA, FOX REALIZÓ UN PROGRAMA SEMANAL LLAMADO 'FOX CONTIGO', DONDE EL PRESIDENTE LLEGÓ A HACERSE EL CHISTOSO, PARODIAR A SUS CONTRINCANTES Y DECIR QUE LOS PERIODISTAS DECÍAN PURAS "BABOSADAS" DE SU GOBIERNO.

...Y DE TODOS LOS MEDIOS, EL QUE DICE MÁS BABOSADAS ES EL LOCUTOR DE **FOX EN VIVO, FOX CONTIGO.**

POR SUPUESTO, EN ESTE PROGRAMA EL LOCUTOR FOX ELOGIABA A LA ADMINISTRACIÓN DEL PRESIDENTE FOX Y CANTABA LAS LOAS DEL EJECUTIVO. EN EL 2003, SE SUPO QUE CADA PROGRAMA LE COSTABA AL PAÍS 900 MIL PESOS.

EN 10 o 15 AÑOS SE ACABARÁ LA POBREZA...

... SE ACABARÍA ANTES, PERO HASTA EL **2006** VAMOS A SEGUIR GASTANDO **900 MIL** PESOS EN HACER ESTE PROGRAMA...

FOX PUSO EN CLARO, CON DIVERSOS ARRANQUES DECLARATIVOS, QUE LO QUE ÉL EN REALIDAD HUBIERA QUERIDO ES UNA PRENSA SUMISA Y DÓCIL, TAL COMO LA QUE TUVIERON DÍAZ ORDAZ, SALINAS Y OTROS PRESIDENTES DEL PRI.

IGNORANDO LA LUCHA QUE VARIAS GENERACIONES DE PERIODISTAS LLEVARON A CABO A LO LARGO DE SEXENIOS, FOX INSINUÓ VARIAS VECES QUE LA LIBERTAD DE LA PRENSA MEXICANA EN LOS ALBORES DEL SIGLO XXI SE DEBÍA A ÉL, Y LOS PERIODISTAS QUE LO CRITICABAN LO HACÍAN PORQUE YA NO LES DABA CHAYO O SOBORNOS.

173

EN ESTE SEXENIO SE DIO LA TOMA DE LAS INSTALACIONES DE CANAL 40, UNA TELEVISORA PEQUEÑA, POR PARTE DE UN COMANDO ARMADO DE GUARURAS A SUELDO DEL DUEÑO DE TV AZTECA, UNA DE LAS DOS GRANDES CADENAS DEL PAÍS. EL MOTIVO FUE UNA DISPUTA LEGAL, COMERCIAL Y PRIVADA.

EN LA TOMA DE LA ANTENA DE **CANAL 40**, SALINAS PLIEGO ACTUÓ HACIENDO USO DEL DERECHO...

...SE LE HINCHO EL DERECHO.

ELFISGÓN

EN ESTE EPISODIO PENOSO, EL GOBIERNO ACTUÓ POR OMISIÓN. EL SECRETARIO DE COMUNICACIONES SE FUE DE VACACIONES Y CUANDO AL PRESIDENTE LE PREGUNTARON QUÉ ACCIONES IBA A TOMAR ANTE ESTA FLAGRANTE VIOLACIÓN AL ESTADO DE DERECHO, ÉSTE CONTESTÓ: ¿Y YO POR QUÉ?

¿JURA CUMPLIR Y HACER CUMPLIR LA CONSTITUCIÓN...?

¿Y YO POR QUÉ...?

CONSTITUCIÓN POLÍTICA

¿POR QUÉ EL GOBIERNO ACTUÓ CON DILACIÓN ANTE UN HECHO QUE AFECTABA UN BIEN NACIONAL COMO LO ES EL ESPACIO DE LAS COMUNICACIONES? UNA DE LAS POCAS EXPLICACIONES POSIBLES ES QUE FOX FUE APOYADO EN SU CAMPAÑA POR EL DUEÑO DE TV AZTECA, RICARDO SALINAS PLIEGO.

POR LO DEMÁS, A PESAR DE TENER EL APOYO DE LA TELEVISIÓN, ES DIFÍCIL MANTENER BUENA IMAGEN CUANDO SE CARECE DE OFICIO POLÍTICO O CUANDO SE DICEN MENTIRAS Y BURRADAS. ESTAS SON ALGUNAS FRASES CÉLEBRES DE VICENTE FOX:

- Hola Cristina; hola Paulina, Vicente y Rodrigo. Honorable Congreso de la Unión.

- (Ser presidente) me da ñáñaras.

- (El ejército en Chiapas) está de pelos como dicen los chavos.

- (Mis metas son) hacer exitoso mi matrimonio con la señora Marta y otra, servir a México.

- José Luis Borgues (en vez de Jorge Luis Borges) Frank Kasbah (por Franz Kafka).

- Les pregunto a los que escriben ¿jamás han tenido un lapsus bilingüe?

- Defenderé el patrimonio de los mexicanos como de niño defendí mis canicas.

- No le debemos un centavo al FMI.

CON PERDÓN DEL LAOCOONTE. ELFIX

- Yo no vendo gas.

- Yo no puedo poner camarones (en el mar).

- Necesito la varita mágica de Harry Potter.

- Ponte a trabajar (a un hombre que le pedía 20 pesos).

- (En México) somos ricos y pobres... Podemos ser el puente entre dos mundos.

- (Con motivo de la marcha zapatista) Si hay marcha, que haya marcha. Si no quieren marcha, no marchan, como gusten. En el país hay libertad de tránsito.

- (Lo que dicen los críticos) es el canto de la sirenas.

- (¿Errores en su gobierno?) Ningún error.

ADEMÁS FOX LEÍA MAL, NO REVISABA LOS DISCURSOS QUE LE PREPARABAN Y NO RECORDABA LO QUE HABÍA DICHO EL DÍA ANTERIOR, CON LO QUE A CADA RATO SE CONTRADECÍA, SE TENÍA QUE DESDECIR E INCURRÍA EN INCOHERENCIAS.

BASTANTE TIENE CON LEER LO QUE NO ESCRIBIÓ, PARA QUE ADEMÁS TENGA QUE ENTENDER LO QUE YA DIJO...

AL PARECER VIAJABA CON FRECUENCIA PORQUE EN EL EXTRANJERO EL DESENCANTO HACIA SU PERSONA LLEGÓ MÁS TARDE QUE EN MÉXICO.

SIN EMBARGO, ESTOS VIAJES LE COSTABAN MUCHO A MÉXICO Y EN ESTOS VIAJES SOLTABA ALGUNAS DE SUS MEJORES PERLAS, COMO CUANDO PROPUSO UNIR LAS DOS COREAS.

CAPÍTULO 22. DE LA POLÍTICA COMO UNA TELENOVELA

FOX HA HECHO DE SU VIDA SENTIMENTAL UN ASUNTO PÚBLICO QUE LE HA FUNCIONADO
PARA SUBIR PUNTOS EN LAS ENCUESTAS DE POPULARIDAD Y SU RATING.
EN UNA PRIMERA INSTANCIA, EL PRESIDENTE NOMBRÓ COMO VOCERA PRESIDENCIAL A
MARTA SAHAGÚN, LA MUJER QUE SE RUMORABA ERA SU NOVIA. SIN EMBARGO, ES CLARO
QUE COMO VOCERA MARTA NO FUE MUY EFICIENTE Y AL POCO TIEMPO SALIÓ DEL
GABINETE.

COMO EN UNA NOVELA ROSA Y CON UNA CLARA INTENCIÓN PROPAGANDÍSTICA, FOX Y MARTA SE CASARON EL 2 DE JULIO DEL 2001 EN UNA CEREMONIA DISCRETA PERO MUY PUBLICITADA.

(*Léase con la música del* Casamiento de los palomos *de Cri-Cri*).

Los palomos se casaron
¡ay la Iglesia qué dirá!
currucutucú, currucutucú
los palomos se casaron
ya no vale murmurar
currucutucú, la boda la anunció Aznar.

Qué bonitos esponsales
aún sin toallas de postín
qué elegantes animales
todos los que están aquí.

La paloma se ha casado
ya vocera no será
currucutucú, las encuestas subirán.

EL FISGÓN.

ESTA BODA SE LLEVÓ A CABO CUANDO ESTABA TERMINANDO LA 'LUNA DE MIEL' DEL PRESIDENTE CON EL PUEBLO Y CUANDO LAS ENCUESTAS EMPEZABAN A REFLEJAR EL DESENCANTO CON SU GOBIERNO Y SU PERSONA.

COMO NUNCA ANTES HABÍA OCURRIDO CON UNA PRIMERA DAMA, MARTITA SAHAGÚN ASUMIÓ UN PAPEL PROTAGÓNICO. TOMÓ LA INICIATIVA, BUSCÓ LOS REFLECTORES, DECLARÓ, PRESIONÓ Y NEGOCIÓ ASUNTOS DE LA PRESIDENCIA.

MARTA TUVO UN PAPEL MUY ACTIVO EN LAS DECISIONES DE SU MARIDO Y, AL PARECER, ELLA ERA EL ENLACE CON EL PRI A TRAVÉS DE ELBA ESTHER GORDILLO.

COMO PRESIDENTA DE LA FUNDACIÓN 'VAMOS MÉXICO', REALIZÓ UNA INTENSA ACTIVIDAD CARITATIVO-PROSELITISTA POR TODO EL PAÍS, ACAPARANDO TITULARES EN TODOS LOS MEDIOS.

MARTA APROVECHABA SU PAPEL DE PRIMERA DAMA PARA PROMOVER SU CARRERA POLÍTICA.
SE DECÍA QUE EJERCÍA UNA GRAN INFLUENCIA SOBRE FOX Y EL GABINETE Y HASTA SE SOSPECHABA QUE ASPIRABA A LA PRESIDENCIA DE LA REPÚBLICA.

PARA EL **2006**, NO TENGO NINGUNA INTENCIÓN DE VOLVER A SER **PRESIDENTA** ...

NUNCA OCULTÓ SU PASIÓN POR LA POLÍTICA Y EL PODER. INCLUSO, EN VARIAS OCASIONES DECLARÓ QUE SUS MODELOS A SEGUIR ERAN HILLARY CLINTON Y EVA PERÓN

¿TÚ VES UNA RELACIÓN ENTRE **EVITA PERÓN** Y **MARTA SAHAGÚN**?

CLARO: **EVITA** A MARTA

183

CAPÍTULO 23. QUÍTALE EL CAMBIO AL FRENO

LAS ELECCIONES LEGISLATIVAS DEL 2003 PERMITIERON MEDIR, A MITAD DE SEXENIO, SI LA GENTE ESTABA CONFORME O NO CON EL GOBIERNO DEL CAMBIO.
EN LOS PRIMEROS TRES AÑOS DEL SEXENIO, EL PAN BUSCÓ CULPAR DE LA PARÁLISIS FOXISTA AL PODER LEGISLATIVO. SEGÚN EL PAN, SI LOS MEXICANOS AÚN NO PERCIBÍAN UNA MEJORÍA EN SUS CONDICIONES DE VIDA, ESTO SE DEBÍA A QUE LA CÁMARA DE DIPUTADOS Y LA DE SENADORES DETENÍAN LAS INICIATIVAS DEL PRESIDENTE, ASÍ, EL PAN HIZO CAMPAÑA CON EL LEMA "QUÍTALE EL FRENO AL CAMBIO".

FOX Y EL PAN NECESITABAN TENER MAYORÍA ABSOLUTA EN EL CONGRESO PARA REALIZAR LA REFORMA ENERGÉTICA Y LA REFORMA LABORAL. QUITARLE EL FRENO AL CAMBIO SIGNIFICABA, ENTRE OTRAS COSAS, LA PRIVATIZACIÓN DE LA ELECTRICIDAD. ¿ESTABAN LOS MEXICANOS DISPUESTOS A VOTAR POR ESE CAMBIO?

EN PLENA CAMPAÑA ELECTORAL, PRESIDENCIA LANZÓ UNA SERIE DE SPOTS TELEVISIVOS DONDE SE PUBLICITABAN DIVERSOS PROGRAMAS DE GOBIERNO Y EL PROPIO FOX APARECIÓ EN CASI TODOS ELLOS.

¿Y TÚ POR QUÉ...?

EL PAN SIEMPRE PROTESTÓ CUANDO LOS PRESIDENTES PRIÍSTAS APOYABAN A SU PARTIDO Y EN SU CAMPAÑA DEL 2000 FOX LE EXIGIÓ A ZEDILLO QUE SUSPENDIERA LA PUBLICIDAD OFICIAL QUE PROMOVÍA LOS LOGROS DEL GOBIERNO. PERO EN EL 2003, FOX HIZO LO QUE TANTO HABÍA CRITICADO. ESTO PROVOCÓ QUEJAS DE DIVERSOS PARTIDOS.

EXIGEN QUE FOX NO HAGA CAMPAÑA

ES LO ÚNICO QUE SÉ HACER ... Y NO QUIEREN QUE LO HAGA ...

185

EL INSTITUTO FEDERAL ELECTORAL LE TUVO QUE PEDIR "SENSIBILIDAD" POLÍTICA AL PRESIDENTE PARA SUSPENDER LOS PROMOCIONALES. Y DESPUÉS DE VARIAS SEMANAS, FOX ANUNCIÓ QUE ÉSTOS CESARÍAN.

¡BIEN! HAGAMOS UN SPOT PARA PRESUMIR QUE YA NO VAMOS A HACER SPOTS...

EL PRI LANZÓ TAMBIÉN UNA AGRESIVA CAMPAÑA PUBLICITARIA Y SUS OPERADORES POLÍTICOS BUSCARON HACER AMARRES EN TODO EL PAÍS. EN ESTE PERIODO APARECIÓ EN EL ESCENARIO POLÍTICO FOXISTA ESE HÁBIL OPERADOR PRIÍSTA LLAMADO CARLOS SALINAS DE GORTARI.

EL FISGÓN

AL PARECER, SALINAS SE HABÍA ACERCADO AL GRUPO FOXISTA Y FUNCIONABA COMO UN OPERADOR DE ALTÍSIMO NIVEL QUE TRABAJABA TANTO EN EL INTERIOR DEL PRI COMO CON CIERTOS SECTORES DEL PAN Y HASTA CON LA ELITE EMPRESARIAL. ¿CUÁL FUE EL PAPEL DE SALINAS EN LA ELECCIÓN DEL 2003?

LOS RESULTADOS DE LA ELECCIÓN FUERON CONTUNDENTES. EL PAN PERDIÓ LA GUBERNATURA DE NUEVO LEÓN, VARIAS DELEGACIONES DEL DF Y DECENAS DE DIPUTADOS. EL PRD GANÓ EN EL DISTRITO FEDERAL, GRACIAS A LA POPULARIDAD DE SU JEFE DE GOBIERNO, ANDRÉS MANUEL LÓPEZ OBRADOR, Y EL PRI RECUPERÓ MUCHO TERRENO Y SE CONVIRTIÓ EN LA FRACCIÓN MÁS IMPORTANTE DE LA CÁMARA.

EN UN PRINCIPIO, NI FOX NI EL PAN QUISIERON RECONOCER QUE ESTOS RESULTADOS SIGNIFICABAN UNA DERROTA. REACIOS A LA AUTOCRÍTICA, CULPARON DE SU BAJA VOTACIÓN A... LOS MEDIOS DE COMUNICACIÓN.

EL GRAN GANADOR DE ESTA ELECCIÓN FUE EL PRI, QUE HASTA MANIOBRÓ PARA OBTENER MAYORÍA ABSOLUTA EN LA CÁMARA. PERO LOS MEROS GANONES FUERON CARLOS SALINAS, MADRAZO Y ELBA ESTHER.

CAPÍTULO 24. CONCLUSIONES

A PARTIR DE LAS ELECCIONES DEL 2003, A SÓLO TRES AÑOS DEL CAMBIO, EL FUTURO DE MÉXICO PINTABA MÁS QUE NEGRO, TRICOLOR. EL PRI HABÍA REGRESADO A LOS PINOS Y LA VIEJA ALIANZA DEL PAN CON EL PRI SE HABÍA CAMBIADO POR UNA NUEVA ALIANZA DEL PRI CON EL PAN PARA IMPULSAR EL PROYECTO NEOLIBERAL Y LOGRAR LA REFORMA ENERGÉTICA (PRIVATIZACIONES INCLUIDAS). AL PARECER, FOX PODÍA LOGRAR UNA HAZAÑA MAYOR A LA QUE HABÍA HECHO EN EL 2000.

SIN BASE SOCIAL
Y FIEL A UNA
POLÍTICA
PROEMPRESARIAL
VORAZ Y
ANTIPOPULAR,
FOX FUE
PERDIENDO
SIMPATÍA ENTRE
LOS
ASALARIADOS Y
LAS CLASES
MEDIAS.

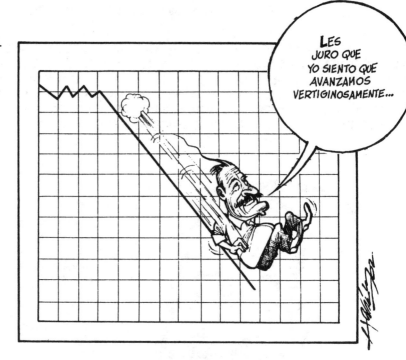

DESPUÉS DE
TRES AÑOS DE
FOXISMO, YA ES
INNEGABLE QUE
EL CAMBIO NO
ES MÁS QUE
UNA NUEVA
FORMA
PUBLICITARIA
DE MÁS DE LO
MISMO.

CON ESTE GRUPO FOX TENDRÍA QUE NEGOCIAR LAS REFORMAS ENERGÉTICA, LABORAL Y DEL ESTADO. Y DESDE EL INICIO DE ESA LEGISLATURA, ELBA ESTHER DIO SEÑAS DE ESTAR DISPUESTA A NEGOCIAR CON EL PRESIDENTE.

PERO VE NOMÁS QUÉ BONITO COMBINAN ESTOS COLORES... YO HARÍA LO QUE FUERA POR UNA ASÍ.

AMIGUITO: SI CREES QUE EL GOBIERNO DE FOX ESTÁ DE CABEZA, DALE VUELTA AL CARTÓN Y VERÁS UNA BONITA SORPRESA.

ASÍ, TAL Y COMO HABÍA OCURRIDO EN LOS SEXENIOS DE SALINAS Y ZEDILLO, UNA ALIANZA DEL PRI CON EL PAN PODRÍA APROBAR REFORMAS NEOLIBERALES ANTIPOPULARES, LO QUE SIGNIFICARÍA UN RETROCESO A LA ÉPOCA DE LAS CONCERTACESIONES SALINISTAS.

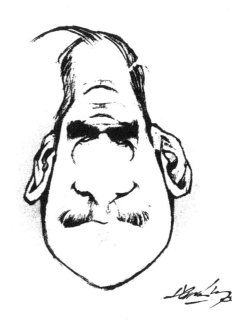

DADO QUE FOX ES UN ECONOMISTA INEFICIENTE, UN POBRE ADMINISTRADOR Y UN POLÍTICO TORPE, LOS EMPRESARIOS LE HAN RETIRADO PARCIALMENTE SU APOYO.
POCO A POCO, PERO CON PASO FIRME, EL GOBIERNO DEL CAMBIO MALGASTÓ SU POPULARIDAD Y SE FUE GANANDO LA DESCONFIANZA DE DIVERSOS SECTORES.

CREO QUE LA GENTE EMPIEZA A NOTAR EL CAMBIO.

EN EL PAÍS HAY RIESGOS DE ESTALLIDO SOCIAL Y LA POLÍTICA NEOLIBERAL DE ESTE GOBIERNO SÓLO TIENDE A AGRAVARLOS.
POR SI ESTO FUERA POCO, EXISTEN VIEJOS CONFLICTOS (CHIAPAS, EL CAMPO, ETCÉTERA...) QUE FOX PROMETIÓ RESOLVER PERO HA DESCUIDADO Y QUE PUEDEN CRECER Y CONVERTIRSE EN PROBLEMAS MUY SEVEROS.

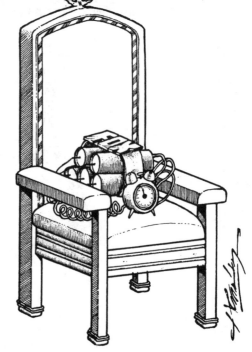

DOS SEMANAS DESPUÉS DE LAS ELECCIONES DEL 2003, EN UNA ENTREVISTA RADIAL, FOX DIO POR INICIADA LA CONTIENDA POR LA SUCESIÓN DEL 2006. ESTO ABRIÓ UN VACÍO DE PODER (QUE EL PRI ESTABA ANSIOSO POR LLENAR).

EN ESA ENTREVISTA, ANTE EL PASMO DE LOS RADIOESCUCHAS, EL QUE PROMETIÓ SACAR AL PRI A PATADAS DE LOS PINOS DIJO: "YO YA CUMPLÍ". CON ESTA FRASE, FOX PRÁCTICAMENTE DIO POR TERMINADA SU GESTIÓN FALTANDO MÁS DE TRES AÑOS PARA QUE ACABARA.

ASÍ, EL SEXENIO SE LE HIZO CHIQUITO.

194

El sexenio se me hace chiquito,
de Rafael Barajas, José Hernández y Antonio Helguera
se terminó de imprimir en noviembre de 2003 en
Impresora Igamsa, S.A. de C.V.
Venado 104, Col. Los Olivos
México, D.F.